MON COMPAGNON

LE CHAT

MON COMPAGNON

LE CHAT

Emily Williams

Queen Street House
4 Queen Street
Bath, BA1 1HE
Royaume-Uni

Conception et réalisation : Atlantic Publishing
Crédits photographiques : page 256

Réalisation : *In*Texte, Toulouse
Traduction de l'anglais : Chantal Mitjaville

ISBN : 978-1-4075-1192-4

Imprimé en Chine
Printed in China

SOMMAIRE

RACES DE CHATS À POIL COURT 92

RACES DE CHATS SINGULIÈRES 150

INTRODUCTION

Le chat est le plus populaire des animaux de compagnie à travers le monde, même si ce petit félin fait preuve d'un esprit plutôt indépendant. Un chat parviendra en effet à survivre seul assez facilement. Animal éminemment social, il remplacera alors la compagnie des humains par celle d'autres chats. Outre son esthétique, c'est aussi son indépendance qui séduit et conduit de nombreux amateurs à adopter un chat au sein de leur foyer plutôt que tout autre animal.

Les chats nous charment et nous enchantent depuis des millénaires, comme ils continueront à le faire pour longtemps. Le chat nous offre l'opportunité de partager à ses côtés une expérience inoubliable, source d'enseignement et de bonheur réciproque, mais aussi l'occasion inespérée d'approcher et d'observer d'un peu plus près la nature dans ce qu'elle peut avoir de plus enrichissant. Une expérience qui ne peut s'envisager sans une meilleure compréhension de son univers, de son histoire et de ses comportements, mais aussi de ses besoins et de ses aspirations.

Du chat sauvage au chat domestique

Les félidés constituent une vaste famille regroupant aussi bien les grands félins, comme le lion, le léopard et le tigre, que les petits félins, comme le lynx, le puma ou le chat sauvage. La principale distinction entre ces deux groupes est non seulement basée sur la taille mais aussi sur le « bruit » émis par chacun de leur représentant : en effet, si les grands félins rugissent, les petits ronronnent. En réalité, il ne s'agit pas seulement d'une question de volume. Les petits félins sont dotés d'un os hyoïde rigide reliant la racine de la langue au palais, alors que les grands félins présentent un os hyoïde flexible. Ces derniers ne peuvent donc ronronner de la même façon que les petits félins. L'autre grande différence séparant les deux groupes

tient au fait que les grands félins se nourrissent souvent en position couchée, contrairement aux petits félins qui adoptent la position debout. On note cependant certaines similitudes entre les deux groupes. L'observation des grands félins dans leur milieu naturel permet de se rendre compte que leur comportement est souvent proche de celui de nos chats domestiques. Les petits batifolent et jouent comme des chatons, les mères déplacent leurs rejetons en les saisissant et les maintenant par la peau du cou, comme le font les chattes, et les grands félins paressent au soleil comme les chats domestiques dans leur jardin.

Certains endroits du monde ne comptent aucun félin sauvage. Ces derniers sont en effet apparus bien après le détachement de l'Australie et de l'Amérique du Sud du supercontinent que formait alors le Gondwana. Les félins se développèrent en Amérique du Nord et en Eurasie avant de rallier l'Amérique du Sud lorsque les deux continents se trouvèrent réunis, mais aucun bras de terre ne leur permit de rejoindre l'Australie. De même, de nombreuses petites îles ne possèdent aucun félin et l'introduction de chats domestiques sur ces terres a souvent provoqué un véritable désastre pour la faune sauvage locale.

Si le chat domestique affiche une ressemblance avec bon nombre d'autres félins, son seul ancêtre serait le chat sauvage d'Afrique, un des représentants de la famille des petits félins. À la différence d'autres animaux domestiques, comme

Ci-contre : peinture de l'ancienne Égypte représentant un chat luttant contre un serpent. Les Égyptiens associaient le chat à la fertilité et admiraient ses talents de chasseur.

le chien par exemple, le chat a choisi lui-même d'être domestiqué en commençant par s'approcher des campements humains. L'animal réalisa très vite qu'il pouvait trouver là matière à se nourrir. Des fresques de l'Égypte ancienne, remontant à 4000 av. J.-C., mettent ainsi en scène des chats dans un environnement agricole. Les greniers à grains de l'époque attiraient en effet les rats, source de nourriture pour les chats. Des témoignages encore plus anciens de cette coexistence ont été mis au jour en Israël, à Chypre et en Inde. En Égypte, il faudra attendre 1700 av. J.-C. pour que le chat accède au statut d'animal domestique. Marchands et colons ont longtemps embarqué des chats à bord de leurs navires afin d'éradiquer les rats. C'est ainsi que le chat domestique fut introduit en Inde, vers 400 av. J.-C., avant de gagner le sud de la Russie et le nord de l'Europe vers le Ier siècle apr. J.-C. Son arrivée sur les terres du Nouveau Monde remonte au XVIIIe siècle. Introduits pour éliminer les rats, ces nouveaux immigrants ne tardèrent pas à se multiplier et à se disséminer à travers tout le continent.

Les chats dans la religion et la littérature

À l'origine appréciés pour leurs talents de chasseurs, les chats qui peuplaient l'Égypte en 1400 av. J.-C. furent élevés au rang de divinités. Associés à Bastet, déesse de l'Amour et de la Fertilité, les chats bénéficiaient d'un statut privilégié et quiconque s'avisait de porter atteinte à leur vie était puni de mort. Le commerce ou l'exportation de ces animaux sacrés étaient interdits et le décès d'un chat au sein du foyer conduisait la famille à prendre le deuil. D'autres religions ont honoré les chats, notamment l'Islam, mais aussi différentes sectes hindoues qui enseignaient le respect de toute créature vivante. Il en fut tout autrement des chrétiens pour lesquels le chat était souvent associé au diable et à la sorcellerie. Certaines superstitions veulent que le chat soit signe de chance ou de malheur. Au Japon, un chat qui dresse sa patte est un signe de bonheur, en Europe, un chat qui glisse sa patte derrière son oreille annonce la pluie...

Rien d'étonnant donc à ce que cet animal entouré de mystères et de croyances ait trouvé sa place dans l'art comme dans la littérature. Les artistes japonais ont souvent représenté l'animal en peinture ou sous forme de sculptures d'ivoire et de jade. En Inde, en Chine et en Thaïlande, les chats vénérés ont intégré la peinture religieuse et leur image servait à symboliser le statut social élevé d'un personnage dans les tableaux de genre. En Occident, jusqu'au XVIIIe siècle, l'image du chat

renvoyait au démon et à la traîtrise, avant de faire figure d'animal domestique adoré. En littérature, on trouve des histoires incluant des chats dans nombre de fables d'Ésope, écrites vers 500 av. J.-C., dans certaines fables de Jean de la Fontaine, comme *Le Cochet*, le *Chat et le Souriceau*, ou encore dans le conte du *Chat botté* de Charles Perrault...

Au moment où les loisirs commencèrent à se développer, les conditions de vie du chat évoluèrent et l'ancien chasseur de souris se retrouva au centre de toutes les attentions. Certains de ses attributs ne tardèrent pas à susciter de l'intérêt et le félin fut bientôt propulsé sur les scènes d'exposition, contribuant du même coup au développement du pedigree chez les chats de race. La première exposition féline officielle se déroula en 1871, au Crystal Palace de Londres. Le phénomène débarqua assez rapidement aux États-Unis où le maine coon accédera à la notoriété. L'intérêt suscité par les chats ne cessera dès lors de grandir, l'élevage ne se limitera pas aux chats à poil long et à couleur de robe attractive mais s'attachera également à la promotion de races plus exotiques. Vers la fin du XIXe siècle, des siamois sont importés en Grande-Bretagne et au cours de la première décennie du XXe siècle, des clubs de races dédiés aux siamois voient le jour des deux côtés de l'Atlantique. En 1910 est fondée en Grande-Bretagne la première organisation féline, baptisée Governing Council of Cat Fancy (GCCF). C'est elle qui se chargera d'établir le standard officiel de chaque race et qui veillera à l'attribution du pedigree. Si l'organisation ne regroupait à ses débuts que quelques centaines de chats, elle enregistre aujourd'hui près de trente mille demandes de pedigrees par an. Ce type d'organisation est aujourd'hui répandu à travers tous les pays de la planète. On dénombre aujourd'hui des milliers de pedigrees, un chiffre relativement modeste mesuré aux millions de matous ordinaires peuplant nos foyers. Il a été prouvé que les propriétaires de chats consultent moins souvent leur médecin, que le seul fait de caresser un chat abaisse la pression sanguine, mais aussi que les malades recouvrent plus rapidement la santé au contact du félin. Mais posséder un chat – si on peut employer un tel terme à propos d'une créature aussi indépendante – n'est pas une affaire à prendre à la légère. Si vous envisagez de faire l'acquisition de votre premier chaton, commencez par réfléchir au coût mais aussi à l'engagement que suppose un tel acte, et prenez le temps de choisir une race adaptée à votre style de vie. Si tout se passe bien, ce compagnon loyal saura vous apporter des moments incomparables de divertissements et de réconfort.

ÉVOLUTION DU CHAT DOMESTIQUE

LA FAMILLE DES FÉLINS

La famille des félins partage ses racines avec d'autres mammifères prédateurs carnivores et se divise en deux sortes d'espèces : celles de l'Ancien Monde et celles du Nouveau Monde. Tous les animaux portent un nom scientifique en latin et un nom usuel, ou vernaculaire. Le premier terme du nom scientifique désigne le genre et regroupe des membres de la famille présentant des caractères communs ; le second terme sert à désigner l'espèce. La plupart des grands félins, comme le léopard ou le lion, appartiennent au genre *Panthera* ; les petits félins, comme le lynx et le chat sauvage d'Afrique, au genre *Felis*. À l'origine, ce classement a été établi en considérant que les félins qui pouvaient rugir appartiendraient au genre *Panthera* et les autres au genre *Felis* ; on note quelques entorses à la règle, comme le guépard, appartenant au genre *Acinonyx*, ou le léopard tacheté, au genre *Neofelis*. Cette classification simple a été récemment remise en question, suite à l'analyse d'empreintes génétiques prouvant que des félins évoluant sur différents continents étaient en réalité de proches parents et que ces félins, à l'apparence et aux comportements a priori très différents, pouvaient disposer d'un ADN similaire et donc appartenir au même genre.

LES GRANDS FÉLINS

L'appellation « grands félins » est utilisée pour désigner le tigre, le léopard, le lion, le jaguar, le guépard et le léopard tacheté. En dépit de la différence de taille, on retrouve bien des similitudes entre grands félins et chats domestiques. Les petits naissent par portées, aveugles et sans défense, dépendant de leur mère jusqu'à ce qu'ils soient assez grands pour pouvoir se débrouiller seuls. Les grands félins sont répartis sur de vastes zones du globe mais restent fragilisés par la chasse et la perte de leur habitat naturel. Leur population ne cesse de décroître.

Tigre

Le tigre *(Panthera tigris)* se rencontre par petits groupes isolés en Inde, en Chine, en Sibérie et en Indonésie. Préférant les zones de forêts épaisses, il peut aussi occuper les versants rocheux des montagnes. Les adultes vivent seuls, le mâle défendant un vaste territoire qui peut inclure plusieurs zones occupées par diverses femelles. Les jeunes ne quittent pas leur mère avant l'âge de 2 ou 3 ans. L'alternance de bandes verticales claires et sombres au niveau de la robe facilite le camouflage du félin lorsqu'il chasse.

Léopard

On trouve le léopard *(Panthera pardus)* de l'Afrique à l'Extrême-Orient dans des zones de forêts, de prairies et même de déserts. Les adultes vivent seuls. Les mâles défendent un vaste territoire qui peut inclure plusieurs zones occupées par diverses femelles. La robe fauve du félin porte des taches noires disposées en rosettes. Une variante mélanique, à couleur uniformément noire, était autrefois considérée comme une espèce distincte, baptisée « panthère noire ».

Lion

Le lion *(Panthera leo)* vit en Afrique, mais aussi dans le nord de l'Inde, dans des zones de prairies et de brousse. Animaux sociables, les lions vivent en hordes, constituées de femelles entretenant un lien de parenté et d'un ou deux mâles qui restent quelques années avant de quitter le groupe. Les jeunes affichent une robe tachetée en guise de camouflage. Les taches s'estompent avec l'âge et les adultes présentent une robe tabby tiquetée d'un doré intense.

Ci-dessus : comme le chat domestique, le guépard utilise sa patte pour se toiletter.
Page ci-contre : la chatte transporte ses petits en les maintenant par la peau du cou comme le font les grands félins et notamment la lionne avec ses rejetons.

Jaguar

Le jaguar *(Panthera onca)* se trouve dans les zones de forêts tropicales d'Amérique du Sud et d'Amérique centrale, le plus souvent à proximité de plans d'eau. Version Nouveau Monde du léopard, le jaguar à robe tachetée et mouchetée patrouille en solitaire sur son vaste territoire. Bien qu'appartenant au genre *Panthera*, le jaguar rugit rarement.

Guépard

Le guépard *(Acinonyx jubatus)* est une espèce aujourd'hui rare qui évoluait autrefois dans les prairies du nord de l'Afrique, mais aussi au sud de l'Asie et au Moyen-Orient. Ses griffes étant relativement émoussées, le guépard compte essentiellement sur sa vitesse pour attraper des proies, qu'il met à terre avant de les étrangler. Ce félin serait l'animal le plus rapide au monde sur courtes distances. Les petits, incapables de se débrouiller seuls, commencent par apprendre à chasser aux côtés de leur mère. Le guépard présente une robe distinctive à fond fauve, marquée de taches noires.

Ci-dessus : des tests ADN ont prouvé que le chat sauvage d'Afrique serait l'ancêtre du chat domestique. À la différence de ses congénères, le chat sauvage d'Afrique élevé en captivité peut être apprivoisé.

Panthère nébuleuse

On croise la panthère nébuleuse *(Neofelis nebulosa)* dans les forêts tropicales du Sud-Est asiatique, parfois dans les zones de clairières ou de marécages. Excellent grimpeur, ce félin chasse aussi bien dans les arbres qu'au sol. La panthère nébuleuse arbore une robe distinctive à fond brun jaune clair, marquée de larges taches irrégulières sur les flancs, brun foncé au niveau des contours mais plus claires au centre. Les pattes et la queue sont marquées de points noirs. Bien qu'elle ressemble à un grand félin, la panthère nébuleuse est incapable de rugir.

LES PETITS FÉLINS

L'appellation « petits félins » fait référence à une large variété d'espèces du genre *Felis*, dont certaines vivent exclusivement aux Amériques et d'autres uniquement en Afrique et en Eurasie. Nombre de petits félins sont très similaires au chat domestique mais, sauvages de nature, ils se révèlent impossibles à domestiquer. Comme les grands félins, les petits félins, recherchés pour leur peau, voient leur nombre se réduire sous l'effet de la chasse mais aussi de la perte de leur habitat naturel. Les espèces citées ci-dessous comptent parmi les plus communes, mais les petits félins regroupent d'autres espèces endémiques à de petites régions, et certaines si rares qu'elles sont aujourd'hui en voie d'extinction.

Chat sauvage d'Afrique

Le chat sauvage d'Afrique *(Felis silvestris lybica)* vit dans la majeure partie de l'Afrique, à l'exception du désert du Sahara et de la ceinture de forêts tropicales, au centre du continent. Ancêtre du chat domestique, l'espèce, élevée en captivité, peut être semi-apprivoisée. Sa robe tabby tigrée présente un poil rougeâtre à l'arrière des oreilles.

Chat du Bengale

Le chat-léopard d'Asie *(Felis prionailurus bengalensis)* se rencontre en Asie du Sud-Est, de la Mongolie à la Chine et à l'Indonésie en passant par les Philippines. De la taille d'un chat domestique, le félin se révèle bien trop sauvage pour être apprivoisé. Son croisement avec des chats domestiques aurait créé le bengal (*voir* page 136).

Lynx roux

Le lynx roux *(Felis lynx rufus ou Lynx rufus)* se retrouve uniquement en Amérique du Nord, où il reste le plus répandu des chats sauvages. Préférant les terrains boisés et rocheux, ce félin se dissimule souvent durant la journée dans les ravines et les rochers. Sous-espèce du lynx, il est légèrement plus grand que lui.

Chat de Biet

Le chat de Biet *(Felis bieti)* est une espèce endémique à la Chine, évoluant dans les steppes, les zones broussailleuses de montagnes ou les forêts. Proche parent du chat sauvage, il arbore une robe brun-jaune peu marquée, à l'exception de sa queue annelée et de quelques rayures sombres sur les pattes et l'arrière-train. Un peu plus grand que le chat domestique, il présente des coussinets protégés par un poil épais, certainement pour l'aider à évoluer sur le sable brûlant et sur la neige gelée.

Chat sauvage d'Europe

Le chat sauvage d'Europe *(Felis silvestris europeus)* est un proche parent du chat sauvage d'Espagne et du chat sauvage d'Écosse. On le retrouve disséminé à travers toute

l'Europe continentale, dans certaines régions d'Europe orientale et à l'ouest de la mer Caspienne. Autrefois proche de l'extinction, l'espèce est aujourd'hui protégée. Assez semblable au chat sauvage d'Afrique, il arbore une robe d'un gris ou d'un brun plus sombre et, contrairement à ce dernier, se révèle inapprivoisable.

Chat orné

Le chat orné *(Felis silvestris ornata)* est un proche parent du chat sauvage d'Afrique et du chat sauvage d'Europe. On le rencontre de la Russie à l'Inde, jusqu'au sud de l'Asie. Plus petit que les deux autres espèces, il affiche une robe tachetée et non striée, de couleur claire, plus proche de celle du chat sauvage d'Afrique, aux marquages plus distincts que ceux de ses cousins.

Chaus

Le chaus *(Felis chaus)* ou « chat des marais » vit dans différentes régions d'Égypte et du Moyen-Orient, dans le sud de l'Asie et à l'ouest de la Chine. Il évolue dans des zones de prairies ou de forêts, toujours à proximité d'un plan d'eau. Se robe présente un poil sable à rouge-brun ou gris. L'extrémité de la queue est rehaussée de noir.

Lynx

L'aire de répartition du lynx est bien plus étendue que celles de tous les autres petits félins, car l'animal se trouve des deux côtés de l'Atlantique. Le lynx du Canada (*Felis lynx canadensis* ou *Lynx canadensis*) occupe presque toutes les zones de forêts, d'épineux et de toundra du Canada. Le lynx pardelle (*Felis lynx pardina* ou *Lynx pardina*) évolue dans les forêts du nord de l'Europe et le lynx d'Europe (*Felis lynx lynx* ou *Felis lynx*) dans les forêts de Sibérie. Le félin possède une robe tachetée, mais le lynx du Canada montre des taches moins bien définies que celles de toutes les autres espèces.

Ocelot

L'ocelot (*Felis pardalis* ou *Leopardus pardalis*) se retrouve en Amérique centrale et au nord de l'Amérique du Sud, à l'exception du Chili. Recherché pour la beauté de son pelage, ce félin chassé à outrance présente une robe jaune crème, rehaussée de taches brunes irrégulières, de rosettes et de bandes à contour noir.

Ci-contre : le serval d'Afrique peut atteindre jusqu'à un mètre de long.

Puma

Le puma (*Felis concolor* ou *Puma concolor*) est aussi connu sous le nom de « cougar » ou « lion des montagnes ». Il évolue en Amérique du Nord et du Sud. Ce félin amateur de bétail a été traqué dans de nombreuses régions, jusqu'à menacer l'espèce d'extinction. La robe présente un poil gris-brun sur le haut du corps marqué de blanc crème au niveau de la poitrine et la région abdominale.

Chat des sables

Le chat des sables *(Felis margarita)* se retrouve uniquement dans les zones désertiques d'Afrique du Nord, de la péninsule arabique, d'Asie centrale et du Pakistan. Sa robe gris pâle à jaune sable est striée de vagues rayures légèrement plus sombres et de bandes distinctes au niveau des pattes. Ce félin est le plus petit des chats sauvages. Son pelage épais au niveau des coussinets l'aide à évoluer sur le sable brûlant.

Chat sauvage d'Écosse

Le chat sauvage d'Écosse *(Felis silvestris grampia)*, proche parent du chat sauvage d'Europe, évolue uniquement dans les paysages de landes écossais. Assez proche d'apparence du chat sauvage d'Afrique, il présente cependant une robe d'un gris ou d'un brun plus foncés et, contrairement à son homologue, ne se laisse pas apprivoiser. Comme tous les chats sauvages, sa tête est plus large que celle des chats domestiques.

Chat sauvage d'Espagne

Le chat sauvage d'Espagne *(Felis silvestris iberia)*, proche parent du chat sauvage d'Europe, se rencontre uniquement dans des régions isolées d'Espagne. Assez semblable au chat tabby domestique, l'espèce n'est pas apprivoisable. Les chats sauvages de l'Ancien Monde ont évolué isolément jusqu'à donner naissance à différentes sous-espèces.

LES CHATS DOMESTIQUES

Différentes études ont démontré que le chat d'Afrique serait l'ancêtre de tous les chats domestiques. Beaucoup de chats domestiques présentent une robe à motif tabby, héritée de la robe du chat d'Afrique alternant bandes claires et sombres, comme celle du tabby tigré, pour offrir un camouflage idéal au félin. Mais si tous les chats sont toujours porteurs du gène tabby, des mutations génétiques se produisent parfois et la robe présente alors un autre motif ou une autre couleur. Les mutations se manifestant au niveau de la robe par des couleurs solides ou des motifs différents se produisent toujours de façon spontanée, mais ont tendance à ne pas disparaître chez le chat domestique qui, à la différence du chat sauvage, n'a pas besoin de camouflage pour survivre. Avant la domestication du chat sauvage, la nature avait créé des centaines de couleurs, motifs et textures de robes. De même, les félins s'étaient adaptés à leur milieu, arborant un poil épais pour survivre sous les climats froids ou une taille plus grande pour capturer du gibier. Différentes permutations ont ainsi été mises en œuvre. Un chat sans pedigree constitue donc un pool génétique à partir duquel les éleveurs peuvent sélectionner un caractère particulier. Des siècles durant, les éleveurs ont puisé dans ces variantes naturelles pour accentuer et améliorer un caractère sélectionné afin de créer des chats de race dotés d'un standard, présentant des couleurs et des motifs de robe officiellement reconnus.

COULEURS, MOTIFS ET FORMES

COULEURS

On distingue huit couleurs de robe de base, quatre foncées et quatre diluées, plus le blanc. Certains éleveurs de chats de race ont tendance à rendre les choses parfois un peu confuses en attribuant différents noms à une même couleur pour différentes races. Lorsque la couleur est uniformément répartie de la base à la pointe du poil, elle apparaît plus intense – ces couleurs foncées se déclinent en noir, rouge, chocolat et cannelle. Lorsque la couleur n'est pas uniformément répartie de la base à la pointe du poil, elle apparaît plus claire – ces couleurs diluées se déclinent en bleu, crème, lilas ou lavande, et faon.

Une robe blanche *(ci-contre)* résulte d'un gène blanc dominant qui masque les autres couleurs ; elle est aussi associée à la surdité. En effet, près de 85 % des chats blancs aux yeux bleus sont sourds.

Le noir *(ci-dessous)* reste la couleur solide la plus répandue, car le gène noir masque toutes les autres couleurs à l'exception du blanc et du rouge.

Le rouge *(ci-dessus)* est en réalité un orangé intense, largement répandu chez les races occidentales.

Le crème *(ci-dessous)* est la version diluée du rouge.

Le chocolat *(ci-dessus)* est un marron foncé, largement répandu chez les races orientales, aujourd'hui introduit chez de nombreuses races occidentales.
La couleur cannelle *(ci-dessous)* est le marron clair de certaines races orientales.

Le bleu (*ci-dessus*), en réalité un bleu-gris, est la version diluée du noir.
Le faon (*ci-dessous*) est la version diluée de la couleur cannelle.
Le lilas, ou lavande, (*page ci-contre*) est la version diluée du chocolat.

MOTIFS

Le poil des zones plus claires d'une robe tabby ne se résume pas seulement à une couleur plus pâle – il s'agit en réalité d'un poil présentant une alternance de bandes colorées étagées sur toute la longueur du poil, généralement claires à la base et plus foncées en se rapprochant de la pointe. Ces poils tiquetés ou à bandes alternées sont dits « agoutis », en référence à un gros rongeur présentant une robe à poils similaires.

Le terme « agouti » est aussi utilisé pour nommer les zones plus claires d'une robe à motif tabby. Les poils les plus foncés formant les bandes et les taches d'une robe tabby ne présentent pas de bandes alternées et sont donc des poils « non-agoutis ». De la même façon qu'il existe un gène agouti, on retrouve un gène non-agouti qui masque le premier. On rencontre également tout un ensemble de gènes responsables de différents effets de couleurs, se combinant de multiples façons pour créer toute une gamme de motifs.

Solide ou self

Les chats présentant une robe solide de couleur franche ont un pelage essentiellement formé de poils non-agoutis. De tels chats sont pourtant porteurs du gène tabby, et la robe observée en pleine lumière peut laisser apparaître un « fantôme » de motif tabby.

Tabby

On distingue quatre types de motif tabby : classique (ou marbré), tigré, tacheté et tiqueté.

Les tabbies classiques (ou marbrés) présentent de larges cercles ou volutes sur les flancs, entourant un dessin en œil-de-bœuf.

Les tabbies tigrés présentent de fines rayures sombres parallèles striant les flancs selon un dessin évoquant les moires du maquereau. Ces chats sont parfois simplement surnommés « chats tigrés ».

Ci-contre : le tabby argenté est un exemple parfait du motif tabby classique.

Les tabbies tachetés, assez rares, présentent des ruptures au niveau des bandes noires formant le motif tabby classique ou tigré, se matérialisant sous la forme de taches.

Les tabbies tiquetés présentent une robe essentiellement formée de poils agoutis dessinant un motif tacheté assez subtil, avec des rayures uniquement au sommet de la tête, parfois au niveau des pattes et de la queue.

Tabby argenté

Un gène argent peut éclaircir les poils agoutis et masquer toute trace de jaune, cela donne le tabby argenté.

Fumé

Chez les chats à robe unicolore, un gène argent peut entraîner une dépigmentation de la racine du poil ou l'éclaircir, donnant l'impression d'un sous-poil argenté.

Ci-dessous : robe chinchilla à poil blanc argenté à la base, pigmenté au niveau des pointes.

Ci-dessus : robe colourpoint où seules les extrémités, ou points, présentent des poils normalement pigmentés.
Ci-dessous : le burmilla présente un poil brun ombré de blanc argenté.

Ci-dessus : une robe bicolore présentant de larges plages blanches est dite « pie ». Les zones colorées peuvent adopter toutes les couleurs et tous les motifs.

Ombré

Robe essentiellement constituée de poils agoutis, alternant de larges bandes de couleur claire et d'étroites bandes de couleur foncée, créant un subtil effet de tiquetage au niveau du poil.

Chinchilla

Robe à poil blanc argenté, uniquement pigmenté au niveau des pointes.

Colourpoint

Généralement associées aux chats siamois, les robes colourpoint présentent des poils dont le pigment est sensible à la chaleur. La robe arbore un poil clair au niveau du corps mais plus sombre au niveau des extrémités froides du corps, appelées « points », correspondant aux oreilles, au masque, aux pieds et à la queue.

Le colourpoint affiche des points de couleur solide. La dénomination est toujours donnée en fonction de la couleur des points. Ainsi, un chat arborant des points chocolat sera référencé : chocolat point.

Le tortie point affiche un motif tortie, ou écaille de tortue, dans les zones de couleur sombre du poil.

Le tabby, ou lynx point, affiche des rayures tabbies dans les zones de couleur sombre du poil.

Pie

Robe bicolore affichant de larges plages blanches associées à des taches de couleur, généralement disposées au niveau de la tête et du corps.

Van

Robe essentiellement blanche, marquée de taches de couleur se limitant à la tête et à la queue.

Écaille de tortue

Robe typiquement rouge et noire, essentiellement portée par les femelles car le gène déterminant la couleur rouge du poil est toujours associé au chromosome X. Si ce gène est dominant, la robe sera rouge ; s'il est récessif, la robe peut afficher n'importe quelle autre couleur. Les mâles sont XY – ils possèdent un seul chromosome X et donc une seule copie du gène rouge. Leur robe pourra être rouge ou noire mais jamais afficher les deux couleurs en même temps. Les femelles sont XX, elles peuvent donc posséder deux copies du gène rouge et si l'un est dominant et l'autre récessif, leur robe peut afficher les deux couleurs en même temps.

Calico

Robe essentiellement écaille de tortue avec de larges plages blanches. Un nom certainement donné en référence au tissu, le calicot.

MORPHOLOGIE ET FORME

La plupart des couleurs et motifs sont communs à toutes les races. Chacune d'entre elles est également définie par la morphologie, la forme de la tête et des yeux, la longueur et la texture du poil mais aussi par certains caractères qui lui sont propres. Ces différences, à l'origine causées par des variations naturelles ou des facteurs environnementaux, donnèrent aux éleveurs l'occasion de sélectionner et de développer certains traits spécifiques afin de créer de nouvelles races.

Morphologie

Le chat présente une morphologie pouvant varier d'un extrême à l'autre. D'un côté, on distingue le type bréviligne, à corps massif, court, compact, et à ossature forte, également désigné par le terme « cobby » ; de l'autre, le type longiligne ou oriental, à longues pattes, souple et à ossature fine. Entre les deux, le type médioligne, rencontré chez la majorité des chats. Ces types morphologiques ne relèvent en rien du hasard – ils se sont affirmés pour répondre à des conditions particulières et peuvent nous renseigner sur l'origine géographique des ancêtres d'une race donnée. Les races lourdes et massives ont ainsi tendance à descendre de chats issus des régions nordiques, qui eurent à affronter des climats rigoureux – de tels chats ont une constitution qui les aide à maintenir leur température corporelle. À l'opposé, les chats longilignes à corps fin et élancé sont bâtis pour résister aux climats chauds – pour réguler leur température corporelle, ces chats présentent un corps dont la forme, en offrant un maximum de surface, facilite la déperdition de chaleur. Au fil du temps, les éleveurs ont modifié l'apparence de certaines races en « orientalisant » certains chats ou, au contraire, en cherchant à les rendre plus ronds et plus massifs.

Page ci-contre, en haut : le manx est l'exemple parfait du type cobby, compact et lourd.
Page ci-contre, en bas : la plupart des chats domestiques à poil court, comme ce tabby tacheté, relèvent du type médioligne.
Double page suivante : les chats de type oriental présentent un corps long et élancé, presque tubulaire.

Tête

La tête d'un chat peut être ronde, rectangulaire ou triangulaire, mais aussi présenter différentes formes intermédiaires. Les chats de type oriental ont une tête triangulaire. Ce trait spécifique a été travaillé par les éleveurs, parfois au détriment de la santé du chat. Ainsi, la sélection de spécimens à grosse tête au sein de la race des persans entraîne souvent le recours à une césarienne lors de la mise bas.

Ci-dessous : la tête du bengal est presque ronde.
Page ci-contre : le burmese européen arbore la tête triangulaire des races de type oriental.

Yeux

Les yeux du chat, assez grands comparés aux dimensions de la tête et du corps, représentent un de ses principaux attraits. Les yeux des chats sauvages sont souvent de couleur cuivre, parfois nuancée d'un peu plus de vert ou de jaune. La gamme de couleurs des yeux du chat domestique est bien plus large. Du point de vue génétique, la couleur des yeux n'est pas liée à la couleur de la robe, même si les standards des races fixent parfois une couleur idéale en fonction de celle de la robe. Les yeux bleus constituent la seule exception à cette règle. La couleur est dans ce cas liée à un gène dominant qui masque également les couleurs de robe ; ainsi, les chats aux yeux bleus ont une robe à dominante blanche. Le gène en question est aussi responsable de la surdité, souvent remarquée chez les chats aux yeux bleus. La couleur bleue des yeux des siamois est liée à un gène différent ; de même, certains autres gènes rares peuvent être à l'origine de cette coloration.

Ci-dessous . le snow bengal possède des yeux bleus et une robe claire.
Page ci-contre : ce sphynx présente un œil bleu et l'autre vert doré, une caractéristique de certaines races, comme le turc de Van.

LONGUEUR DE ROBE

Le chat sauvage d'Afrique arbore un poil fin et court ; on peut donc en conclure que le chat domestique présente naturellement une robe à poil court. Cependant, la longueur et la texture d'une robe à poil court varient considérablement d'une race à une autre. Le siamois possède une robe à poil fin et épars, bien couché sur le corps ; l'exotic shorthair affiche quant à lui une double fourrure épaisse et dressée sur le corps, qui du même coup paraît deux fois plus longue.

Le gène responsable de la longueur du poil est certainement lié à une mutation naturelle. Bien que le poil long corresponde à un gène récessif, une sélection naturelle dans les régions froides donna naissance à des chats à fourrure longue et épaisse ; une caractéristique qui s'imposa progressivement comme une norme chez certaines races. Il arrive aussi que des chatons à poil long voient le jour au sein de portées de races à poil court. Dans certains cas, ces spécimens sont le fait d'une sélection visant à créer une nouvelle race. Ainsi, le somali est la version à poil long de l'abyssin, comme le scottish fold est la version à poil court du highland fold.

La fourrure bouclée ou ondulée, désignée sous le terme « rex », est elle aussi liée à une mutation génétique spontanée. À l'état sauvage, des chats pourvus d'une telle fourrure ne survivraient pas bien longtemps ; chez

Page ci-contre : cet adorable angora cannelle a hérité sa couleur de robe de son ancêtre, l'abyssin, et sa longue fourrure de l'expression du gène récessif du poil long.

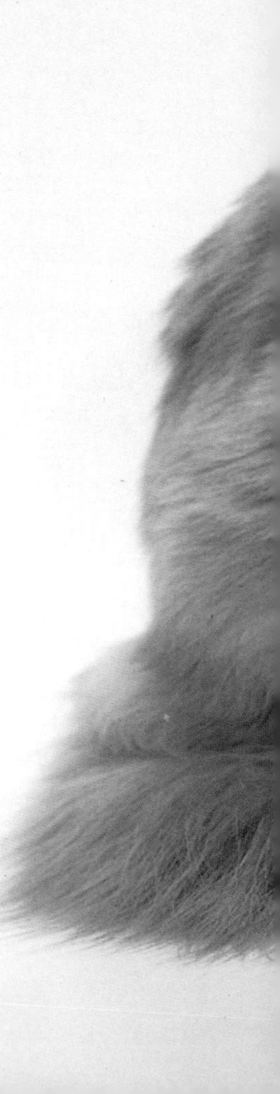

le chat domestique, ce caractère sera conservé par des croisements sélectifs. Chez le cornish rex et le devon rex, le gène rex est récessif ; un accouplement consanguin est indispensable pour conserver l'ondulation de la fourrure. Toutes les robes à fourrure ondulée ne sont pas liées au même gène, et le croisement entre cornish rex et devon rex peut donner naissance à des chatons à fourrure droite. Le gène rex est dominant chez le selkirk rex, un croisement avec d'autres races produit un certain pourcentage de chatons à fourrure bouclée.

Autre exemple plus rare de mutation de robe, le chat nu, comme le sphynx ou le peterbald. Ce type de chat est apparu à diverses périodes à travers le monde, mais de tels félins, dépourvus de protection naturelle, sont incapables de survivre à l'état sauvage. Nul ne sait précisément si le gène responsable de l'absence de poil peut entraîner la survenue de problèmes de santé.

Ci-contre : la majorité des chats présente une robe à poil court.

Caractères spécifiques

Certaines races sont immédiatement identifiables, sans même se référer à la couleur, aux motifs ou à la longueur de la robe. Ces races possèdent des caractéristiques originales, comme les oreilles repliées du scottish fold, les oreilles retournées de

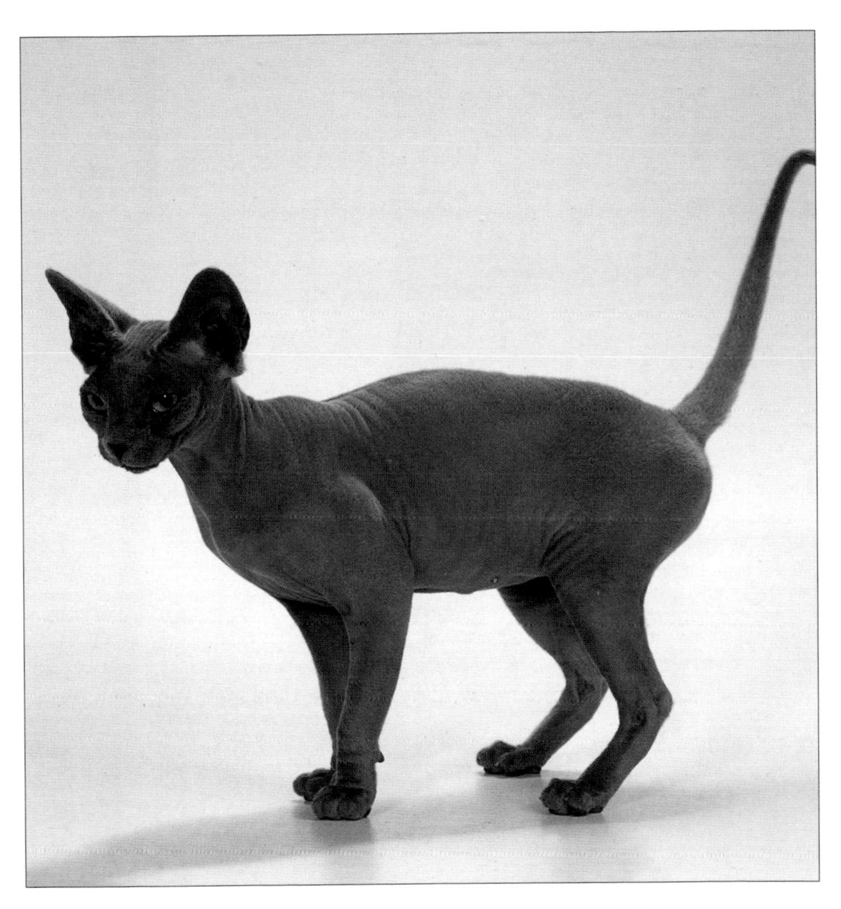

Ci-dessus : la nudité du sphynx n'est qu'apparente car le corps est recouvert d'un fin duvet.
Page ci-contre : l'american curl est une race relativement récente, sélectionnée dans les années 1980.

l'american curl ou encore l'absence de queue du manx. Ces traits spécifiques résultent d'une mutation génétique spontanée, encouragée par la pratique de croisements sélectifs. Certaines de ces races ne sont pas reconnues par le Livre officiel des origines félines (LOOF), en raison des effets secondaires non souhaités et parfois néfastes pour le chat. Ainsi, le gène des oreilles repliées du scottish fold peut entraîner une croissance anormale du squelette chez le chat adulte, alors que l'on note une mortalité élevée chez les chatons manx peu après la naissance, mais aussi l'apparition de graves problèmes intestinaux ou urologiques graves.

Races de chats

Seul un petit nombre de chats dans le monde peut prétendre à un pedigree, et la classification des chats de race reste une affaire relativement complexe. Une même race peut porter différents noms selon son pays d'origine mais aussi selon la législation en vigueur dans le pays. Ainsi, certaines races reconnues par quelques pays sont considérées comme de simples variantes de couleur dans d'autres. Souvent, fédérations et associations félines établissent chacune leurs propres standards de qualification, utilisés par les juges en concours.

Les chapitres suivants divisent les chats de race en trois groupes : ceux à poil long ou mi-long, ceux à poil court et enfin tous ceux présentant une singularité en dehors de la longueur de la robe, comme la forme repliée des oreilles, la texture bouclée de la robe ou encore l'absence de queue.

Races de chats à poil long et mi-long

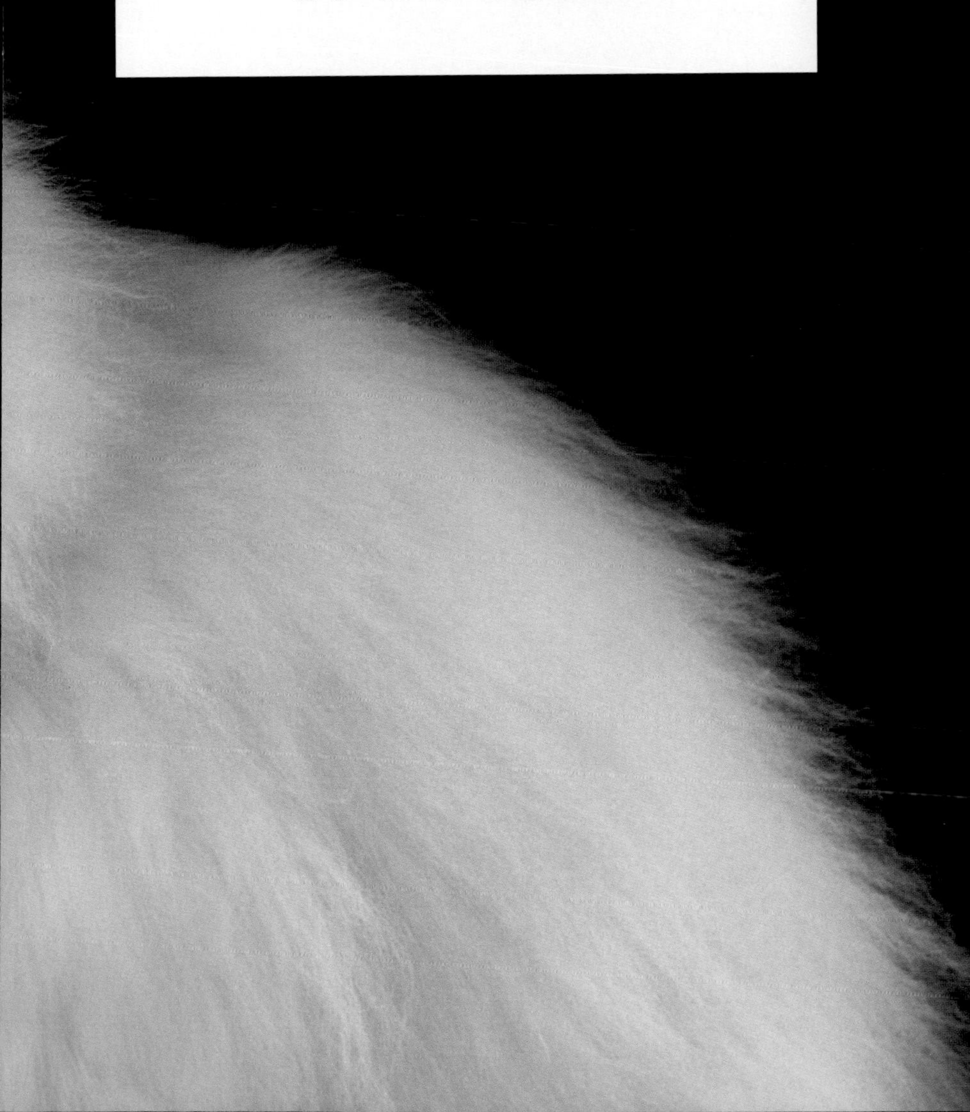

PERSAN

Avec son nez retroussé, sa grosse tête ronde et son corps compact, le persan reste le plus populaire des chats. Près de 75 % des pedigrees officiels enregistrés sont ceux de persans. Ces chats à poil long importés de Perse vers l'Italie dans les années 1620 furent affublés de différents noms. La race sélectionnée vers la fin du XIXe siècle montrait une apparence bien différente de celle du persan actuel, avec une tête plus grosse et plus aplatie. Calme, gentil mais aussi curieux, ce félin placide apprécie la vie de famille et le contact des enfants. Sa robe longue et soyeuse exige un brossage quotidien pour conserver tout son attrait. Des bains réguliers peuvent être envisagés. La race décline plus de cinquante couleurs et motifs de robes différents et presque tous les types sont représentés *(voir* pages suivantes*)*. Certains livres des origines distinguent plusieurs races selon la couleur de la robe. L'exotic shorthair, une version à poil court est une race récente.

Autres noms : longhair, angora turc, cachemire.
Origine : Royaume-Uni.
Poids : 3,5 à 6,25 kg.
Portrait : un chat musclé, au corps compact, à grosse tête ronde, à petites oreilles attachées bas, arrondies aux extrémités, à gros yeux ronds bien espacés. Les pattes sont courtes, à ossature puissante, la queue est assez courte et touffue. La robe longue à fourrure épaisse et soyeuse se révèle très douce et abondante.
Entretien : brossage quotidien.
Caractère : calme, placide.
Races apparentées : aucune.

Page ci-contre, en haut : chaton persan chocolat tabby.
Page ci-contre, en bas : persan doré ombré.
Ci-dessus : persan rouge et blanc.

PERSAN COLOURPOINT OU HIMALAYEN

Une race présentant tous les caractères du persan mais dont la robe affiche un marquage, ou patron, similaire à celui du siamois. Aux États-Unis, le persan colourpoint est baptisé « himalayen ». Le chat possède le nez retroussé du persan, une tête ronde, un corps massif et une longue robe à fourrure épaisse et soyeuse, agrémentée d'une collerette généreuse. Les couleurs vont du blanc au beige, avec des points de couleurs solides, écaille de tortue ou à motif tabby. Un chat peu bavard, décontracté et sociable, appréciant la compagnie des enfants et des autres animaux. Sa longue fourrure épaisse exige un brossage quotidien pour conserver tout son attrait. Un bain régulier s'impose pour les spécimens à robe blanche.

AUTRE NOM : himalayen.
ORIGINE : Royaume-Uni et États-Unis.
POIDS : 4 à 6,75 kg.
PORTRAIT : un chat compact au corps de taille moyenne à grande, à tête ronde, à nez retroussé et à joues pleines, arborant de petites oreilles arrondies. Les pattes sont courtes et robustes, la queue courte et bien fournie. Ses grands yeux ronds sont d'un bleu éclatant, la robe longue présente une fourrure épaisse et soyeuse.
ENTRETIEN : brossage quotidien.
CARACTÈRE : docile, gentil, amical.
RACES APPARENTÉES : le persan colourpoint appartient à la famille des persans, identiques en tous points mais déclinés en une plus large gamme de couleurs de robe. Aux États-Unis, il est appelé « himalayen ».

ANGORA

La race fut sélectionnée en Grande-Bretagne, à partir du croisement entre abyssin sorrel et siamois seal point. Entre autres caractéristiques, les descendants de cette union héritèrent du gène du poil long et participèrent à la création de l'angora. L'appellation de la race prête pourtant à confusion : le chat porte en effet le nom de «javanais» en Europe et d'«oriental longhair» aux États-Unis, alors même que cette appellation renvoie à une race américaine, différente. De même, l'angora ne présente aucun lien de parenté avec l'angora turc. L'angora est un chat élégant et séduisant, curieux et vif, mais aussi très bavard. La robe soyeuse mi-longue au sous-poil peu abondant se révèle d'un entretien facile.

Autres noms : javanais, oriental longhair, mandarin.

Origine : Royaume-Uni.

Poids : 3 à 5 kg.

Portrait : un chat de taille moyenne, svelte et musclé, à la tête de forme triangulaire, aux grandes oreilles pointues, aux pattes longues et fines, à la queue empennée, longue et effilée. Les yeux en amande sont verts, bleus chez les chats à robe blanche.

Entretien : brossage régulier.

Caractère : joueur, énergique.

Races apparentées : aux États-Unis, la race portait le nom d'« oriental longhair », aujourd'hui réservé à une race américaine distincte. En Europe, l'angora est baptisé « javanais » ou « mandarin ». Aux États-Unis, l'appellation « javanais » est réservée aux balinais affichant une sélection de couleurs précise. L'angora turc désigne quant à lui une race bien distincte.

SACRÉ DE BIRMANIE

Ce chat descendrait des chats qui erraient aux abords des temples en Birmanie. Selon la légende, un moine Kittah, adorateur d'une déesse aux yeux de saphir vêtue d'une robe d'or, aurait possédé un chat aux yeux dorés. Lorsque son temple fut attaqué par des bandits, le vieux moine fut blessé ; son chat se coucha sur son maître et fixa la déesse. Sa robe prit une teinte dorée et ses yeux devinrent bleu saphir. Les bandits effrayés prirent aussitôt la fuite. En réalité, le sacré de Birmanie a été créé en France au début du XXe siècle, à partir de croisements entre persans et siamois. Le sacré de Birmanie est un grand chat placide, appréciant la compagnie des enfants, indépendant et calme. Sa robe longue et soyeuse, souvent seal point, se décline aussi dans d'autres couleurs. Ses pieds sont gantés de blanc.

Autre nom : birman.
Origine : France.
Poids : 3,5 à 8 kg.
Portrait : un grand chat, massif et puissant, à large tête ronde, aux oreilles de taille moyenne et bien espacées, aux yeux d'un bleu saphir. Les pattes sont robustes, de longueur moyenne, la queue vaporeuse et la robe longue et soyeuse.
Entretien : brossage quotidien.
Caractère : placide et joueur.
Races apparentées : le ragdoll, à la couleur de robe plus soutenue et aux gants remontant au-delà du jarret.

BALINAIS

La race présente tous les caractères d'un siamois à poil long. Le siamois peut en effet donner naissance à des chatons à poil long et les spécialistes s'interrogent encore sur l'origine de tels spécimens, issus soit d'une mutation spontanée consécutive à l'expression du gène «poil long», soit du croisement entre siamois et angoras ou siamois et persans. La pratique de croisements sélectifs donna naissance à des siamois à poil long, baptisés «balinais» en raison de leur grâce évoquant celle des danseuses de temple de Bali. La robe est mi-longue, la queue empennée. En Europe, le standard autorise toutes les couleurs de robe. Aux États-Unis, seuls les spécimens à points seal, bleu, chocolat et lilas sont reconnus comme des balinais. Toutes les autres couleurs relèvent du javanais.

AUTRE NOM : javanais.
ORIGINE : États-Unis.
POIDS : 2,75 à 4,5 kg.
PORTRAIT : un chat de taille moyenne, élancé et gracieux, à longue tête triangulaire, aux grandes oreilles pointues, aux yeux bleus en amande. Les pattes sont fines, la queue longue et en brosse. La robe, mi-longue, offre une texture fine et soyeuse.
ENTRETIEN : brossage régulier.
CARACTÈRE : exigeant, affectueux, joueur et énergique.
RACE APPARENTÉE : le javanais américain, en tous points identique au balinais à l'exception de la couleur des points, à motif tabby, écaille de tortue ou flamme.

ORIENTAL LONGHAIR

En Amérique du Nord, cette appellation désignait autrefois l'angora ; un nom attribué à tort, sachant que cela impliquait que l'angora soit un oriental à poil long, alors qu'en réalité les deux races sont bien distinctes. L'oriental longhair fait aujourd'hui référence à une race présentant une robe dépourvue de points, issue du croisement entre orientaux et balinais. Les orientaux à poil long affichant une robe à points sont référencés comme des balinais ou des javanais. L'oriental longhair est un chat curieux, énergique et amical, joueur avec les enfants, toujours en quête de compagnie et souvent très bavard. La robe mi-longue et soyeuse, à poil couché sur le corps, accentue sa ressemblance avec l'oriental, à l'exception de sa queue empennée.

Autres noms : mandarin, foreign longhair.
Origine : Amérique du Nord.
Poids : 3,5 à 5,5 kg.
Portrait : un chat long, fin et élancé, à longue tête triangulaire, aux grandes oreilles pointues, aux yeux en amande disposés en oblique. Les pattes sont fines, la queue légèrement en brosse. La robe mi-longue à texture soyeuse présente un poil couché sur le corps.
Entretien : brossage régulier.
Caractère : énergique, câlin.
Race apparentée : aux États-Unis, l'oriental longhair désignait autrefois l'angora, une race pourtant bien distincte. L'oriental, à robe plus courte, présente une queue non empennée.

JAVANAIS AMÉRICAIN

Aux États-Unis, le javanais est perçu comme une variété de siamois colourpoint à poil long, aux points déclinés dans d'autres couleurs que les classiques seal, bleu, chocolat et lilas. Les spécialistes s'interrogent encore sur l'origine de tels spécimens, issus soit d'une mutation spontanée liée à l'expression du gène «poil long», soit du croisement entre siamois et angoras ou siamois et persans.
La pratique de croisements sélectifs donna naissance à des siamois à poil long, baptisés «balinais». La robe est mi-longue, la queue empennée. En Europe, le standard autorise toutes les couleurs de robe. Aux États-Unis, seuls les spécimens à points seal, bleu, chocolat et lilas sont reconnus comme des balinais. Toutes les autres couleurs relèvent du javanais.

Autre nom : balinais.
Origine : États-Unis.
Poids : 2,75 à 4,5 kg.
Portrait : un chat de taille moyenne, élancé et gracieux, à longue tête triangulaire, aux grandes oreilles pointues, aux yeux bleus en amande. Les pattes sont fines, la queue longue et en brosse. La robe mi-longue offre une texture fine et soyeuse.
Entretien : brossage régulier.
Caractère : exigeant, affectueux, joueur et énergique.
Race apparentée : le balinais, en tous points identique au javanais américain, à l'exception de la couleur des points, seal, bleu, chocolat ou lilas.

RAGDOLL

Ce chat a pour particularité de se détendre complètement lorsqu'il est manipulé, jusqu'à devenir mou, d'où le nom de la race signifiant « poupée de chiffon » en anglais. Un chat facile à vivre, placide et affectueux, joueur et sociable. Exceptionnellement grand et lourd, le ragdoll atteint sa pleine maturité vers l'âge de 4 ans. La robe mi-longue et soyeuse se décline en quatre couleurs – dont le classique colourpoint seal, chocolat, bleu ou lilas – mais aussi en trois autres motifs, comme le mitted, le bicolore et le van. Les avis divergent quant à l'origine de la race : pour certains le ragdoll serait issu du croisement entre persan et sacré de Birmanie, pour d'autres du croisement entre une variété à poil long sans pedigree et un sacré de Birmanie, ou encore entre un chat haret et un persan.

Autre nom : cherubim.
Origine : États-Unis.
Poids : 4,5 à 8 kg.
Portrait : un chat long et musclé, à poitrine large, à tête triangulaire aux contours arrondis, aux grands yeux ovales, aux oreilles de taille moyenne, arrondies aux extrémités, aux pattes longues, à longue queue en brosse. La robe mi-longue offre une texture douce et soyeuse.
Entretien : brossage régulier.
Caractère : placide, détendu, sociable.
Race apparentée : le sacré de Birmanie, à la robe plus claire et aux gants s'arrêtant à hauteur du jarret.

SOMALI

La race est une variété d'abyssin, dont les ancêtres furent certainement introduits en Grande-Bretagne par les soldats de retour de la guerre d'Abyssinie, vers la fin du XIXe siècle. Pour certains, la naissance de chatons à poil long, apparus de façon spontanée dans des portées d'abyssins, serait à l'origine du somali, reconnu dans les années 1960 comme une race à part entière. Comme l'abyssin, le somali présente une robe étonnante à motif tabby tiqueté qui reflète la lumière lorsque le chat est en mouvement. La couleur la plus répandue est un brun orangé intense, référencé sous le terme «ruddy» aux États-Unis et «usual» au Royaume-Uni. La gamme des couleurs inclut aussi le rouge (ou sorrel), le bleu, le faon et l'argent. Le somali perd une grande partie de son poil en été, tout en conservant sa queue en brosse. Sociable, ce chat apprécie la compagnie des hommes et des autres animaux, mais ne peut s'épanouir dans un cadre trop confiné.

Autre nom : abyssin à poil long.

Origine : Amérique du Nord.

Poids : 3,5 à 5 kg.

Portrait : un chat souple et musclé, à tête triangulaire mais aux contours arrondis, aux oreilles larges, à poil court et couché, courbées à la base, à longues pattes minces, à robe douce mi-longue et à longue queue touffue. Les yeux ronds, légèrement en amande, sont de couleur or à vert.

Entretien : brossage régulier.

Caractère : épris de liberté, actif, sociable.

Race apparentée : l'abyssin, à tête plus triangulaire et à robe plus courte, ne présentant pas de queue en brosse.

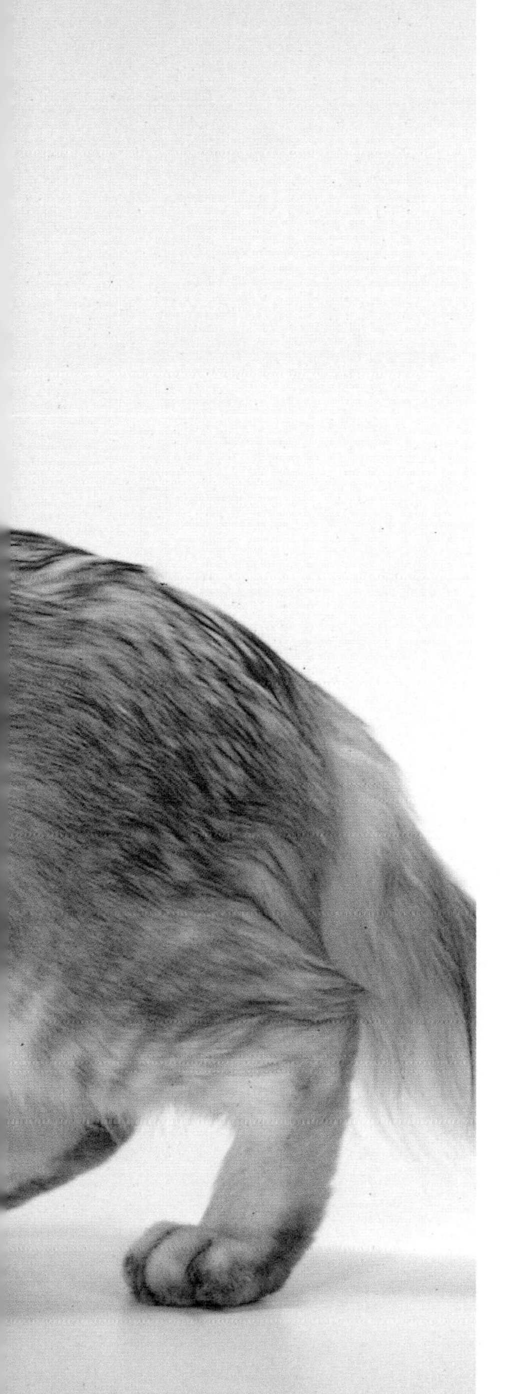

TIFFANY

Une race à ne pas confondre avec l'ancien tiffany, correspondant à l'appellation d'origine d'une race distincte, aujourd'hui référencée sous le nom de « chantilly ». Le tiffany est une version d'asian à poil long, issue du croisement entre chinchilla et burmese anglais à poil long.
La morphologie évoque celle du burmese mais la robe, longue et luxuriante, est celle du chinchilla.
Le caractère du tiffany conjugue les qualités des deux races : ce chat facile à vivre, vif sans être turbulent, est un félin grégaire appréciant le jeu et la compagnie de l'homme. Sa robe fine et soyeuse doit être brossée quotidiennement pour conserver tout son attrait. Facile à entretenir, le tiffany se décline en une large gamme de couleurs, versions ombrée et tabby.

Autre nom : asian à poil long.
Origine : Royaume-Uni.
Poids : 4 à 7,5 kg.
Portrait : un chat de taille moyenne, musclé, à tête triangulaire assez courte, aux oreilles larges à la base, alignées dans le prolongement du triangle de la tête, aux pattes plutôt fines, à longue queue en brosse. Les yeux arrondis, légèrement en amande, présentent des nuances allant du jaune au vert. La robe mi-longue est douce et soyeuse.
Entretien : brossage quotidien.
Caractère : facile à vivre, affectueux, vif.
Race apparentée : aucune.

ANGORA TURC

Une race ancestrale, à ne pas confondre avec l'angora britannique. L'angora turc, originaire d'Asie Mineure et plus précisément de Turquie, vit le jour il y a près de six siècles. Certains spécimens auraient été introduits en France et en Grande-Bretagne, mais ce n'est que dans les années 1850 que la race fut officiellement distinguée des autres chats à poil long. Des croisements successifs avec d'autres chats à poil long auraient conduit à sa disparition à l'extérieur de la Turquie. Au début des années 1950, l'apport d'angora turc dans les élevages participera au renouveau de la race. La robe soyeuse et brillante de l'angora turc se révèle assez facile à entretenir. Tous les spécimens aux yeux bleus ont tendance à souffrir de surdité. La gamme de couleurs de robe est assez large, comme celle des motifs incluant l'écaille de tortue, le tabby ou le bicolore. Loyal et affectueux, ce chat se montre joueur et débordant d'activité.

Autres noms : ankara, angora.
Origine : Turquie.
Poids : 2,75 à 4,5 kg.
Portrait : un chat élancé mais bien musclé, à petite tête plutôt triangulaire, aux grands yeux ovales, aux oreilles attachées haut, larges à la base et pointues. Les pattes sont longues, les antérieures plus longues que les postérieures. La queue est en brosse. La robe mi-longue, fine et soyeuse, montre peu de sous-poil.
Entretien : brossage régulier.
Caractère : énergique, gracieux, joueur.
Races apparentées : le turc de Van, à robe plus dense et à pattes plus épaisses. L'angora britannique et le javanais européen sont des races différentes.

TURC DE VAN

Un chat curieusement célèbre pour son amour de l'eau. Dans son pays d'origine, le turc de Van est surnommé le « chat nageur » en raison de son aptitude à la nage. Assez proche en apparence de l'angora turc, la race affiche cependant une robe plus dense et des pattes beaucoup plus robustes. Apparu spontanément en Turquie, le turc de Van sera plus tard introduit en Occident pour participer à des programmes d'élevage. La couleur idéale reste le blanc avec des marquages de couleur au sommet de la tête et une coloration de la queue ; les yeux peuvent être ambre ou bleus. Le turc de Van original, uniformément blanc avec des yeux impairs, est aujourd'hui en voie de disparition. Un chat intelligent, énergique, affectueux et relativement indépendant.

Autres noms : turkish van, chat turc nageur, turc van.

Origine : Turquie.

Poids : 3 à 7,75 kg.

Portrait : un grand chat puissant et robuste, à courte tête triangulaire, aux yeux ovales, aux oreilles attachées haut, larges et rapprochées, aux pattes assez épaisses, à queue en brosse. La robe est mi-longue, à fourrure épaisse et soyeuse.

Entretien : brossage régulier.

Caractère : indépendant, intelligent, affectueux.

Race apparentée : l'angora turc, à la robe moins dense et aux pieds plus petits.

MAINE COON

En dépit de sa robe luxuriante, le maine coon n'a rien d'un chat de salon apprêté. Ce grand chat à la constitution robuste, indépendant et excellent chasseur, fut un temps le compagnon préféré des fermiers. Un chat tolérant, supportant facilement la compagnie des enfants et des autres animaux. Ses origines restent obscures ; pour certains, le maine coon serait un descendant des angoras apportés de France aux États-Unis, pour d'autres, il aurait pour ancêtre le chat des forêts norvégiennes, introduit en Amérique du Nord par les Vikings. Sa fourrure épaisse, brillante et imperméable, lui assure une excellente protection contre le froid. Sa robe, à brosser régulièrement, est déclinée dans la plupart des couleurs et motifs, même si le maine coon classique reste un tabby, généralement brun.

Autres noms : american longhair, maine shag.

Origine : États-Unis.

Poids : 4,5 à 9 kg.

Portrait : un grand chat solide, à poitrine large et à long corps, aux grandes oreilles attachées haut, dressées et pointues, aux yeux ronds, disposés en oblique, à longue queue en brosse. La robe est longue, dense et brillante.

Entretien : brossage régulier.

Caractère : gentil, joueur.

Race apparentée : le sibérien, à corps plus arrondi, ou le chat des forêts norvégiennes, aux yeux en amande et aux oreilles plus arrondies.

CHAT DES FORÊTS NORVÉGIENNES

Les origines de la race restent obscures. On sait que les Vikings auraient à l'époque mis en place des routes commerciales vers la Turquie et que la race présente curieusement des couleurs de robe que l'on ne trouve nulle part ailleurs, en dehors de la Turquie. Le chat des forêts norvégiennes pourrait ainsi avoir hérité de la robe longue de l'angora turc. Pour certains, la race descendrait du sibérien à longue fourrure épaisse, originaire de la Russie proche. Ce chat est un grand félin au corps massif et robuste, à la robe imperméable conçue pour affronter les hivers rigoureux de son pays d'origine. Bon grimpeur et chasseur habile, il apprécie la compagnie des hommes, des enfants et des animaux domestiques. Les chats vivant à l'extérieur perdent leur sous-poil laineux au printemps. Cette mue importante oblige à un brossage intensif. La robe de chat se décline en différents motifs et couleurs.

Autres noms : skogkatt, norsk skogkatt, skaukatt, wegrie.

Origine : Norvège.

Poids : 3,5 à 8 kg.

Portrait : un grand chat robuste et solide, à tête triangulaire, aux oreilles attachées haut, largement espacées, aux grands yeux en amande disposés en oblique, aux longues pattes robustes. La queue est touffue, aussi longue que le corps. La robe, mi-longue, présente une texture douce, luisante et imperméable, doublée d'un sous-poil épais.

Entretien : brossage régulier.

Caractère : gentil, amical, réservé.

Race apparentée : le sibérien, à corps plus arrondi, ou le maine coon, aux yeux ronds et aux oreilles pointues.

SIBÉRIEN

Le sibérien est un grand chat robuste, doté d'une longue queue, à l'apparence assez proche de celles du chat des forêts norvégiennes et du maine coon. Sa fourrure épaisse présente un sous-poil dense et isolant doublé de poils de garde imperméables. Le tabby brun reste la couleur la plus répandue, même si le chat présente une large gamme de couleurs tabby, parfois solides ou écaille de tortue, notamment chez les spécimens rencontrés aux États-Unis. Les éleveurs russes s'appliquent à conserver l'aspect originel de la race, excluant toutes autres couleurs à l'exception du brun et du rouge. Élevé comme un chat de maison ou un chat de ferme, le sibérien resta longtemps ignoré en dehors de la Russie. Dans les années 1980, la race sera dans un premier temps reconnue en Russie puis à l'international. Les spécimens élevés en Occident commencent à afficher une apparence différente de celle de leurs cousins russes.

Autres noms : sibirska koschka, sibi.
Origine : Russie.
Poids : 5,5 à 9 kg
Portrait : un grand chat puissant et musclé, à tête large, aux yeux ovales assez grands, légèrement disposés en oblique, aux oreilles arrondies, tournées vers l'extérieur, aux pattes musclées. La queue, en brosse, est arrondie à son extrémité. Le sous-poil dense est masqué par une robe longue à fourrure épaisse rehaussée d'une collerette généreuse.
Entretien : brossage régulier.
Caractère : amical, agile, loyal.
Races apparentées : le chat des forêts norvégiennes, à corps plus rectangulaire, ou le maine coon, à corps rectangulaire et aux oreilles plus pointues

RACES DE CHATS À POIL COURT

EXOTIC SHORTHAIR

La race est une variété à poil court du persan à poil long avec lequel l'exotic shorthair partage plusieurs de ses caractéristiques. Le chat est ainsi doté du nez retroussé du persan, d'une grosse tête ronde, d'un corps plutôt compact et d'une queue assez courte. Calme, gentil et curieux, ce chat apprécie la vie de famille et la compagnie des enfants, mais aussi la vie de chat de salon. L'exotic shorhair ne présente pas un poil vraiment court, sa robe est plutôt mi-longue et sa fourrure épaisse, doublée d'un sous-poil exigeant un brossage régulier. L'épaisseur de la fourrure donne au chat l'aspect d'une véritable peluche. On distingue près de cent couleurs et motifs de robe différents. La race est encore rare et de nombreuses portées comptent des chatons à poil long.

Autre nom : persan à poil court.
Origine : États-Unis.
Poids : 3,5 à 6 kg.
Portrait : un chat de taille moyenne à grande, mais court et compact, à la tête ronde, aux joues pleines, au nez retroussé, aux petites oreilles bien espacées, aux grands yeux ronds proéminents, aux pattes courtes et épaisses et à la queue courte. La robe est dense et pelucheuse.
Entretien : brossage régulier.
Caractère : calme, gentil, curieux.
Race apparentée : le persan, à robe plus longue.

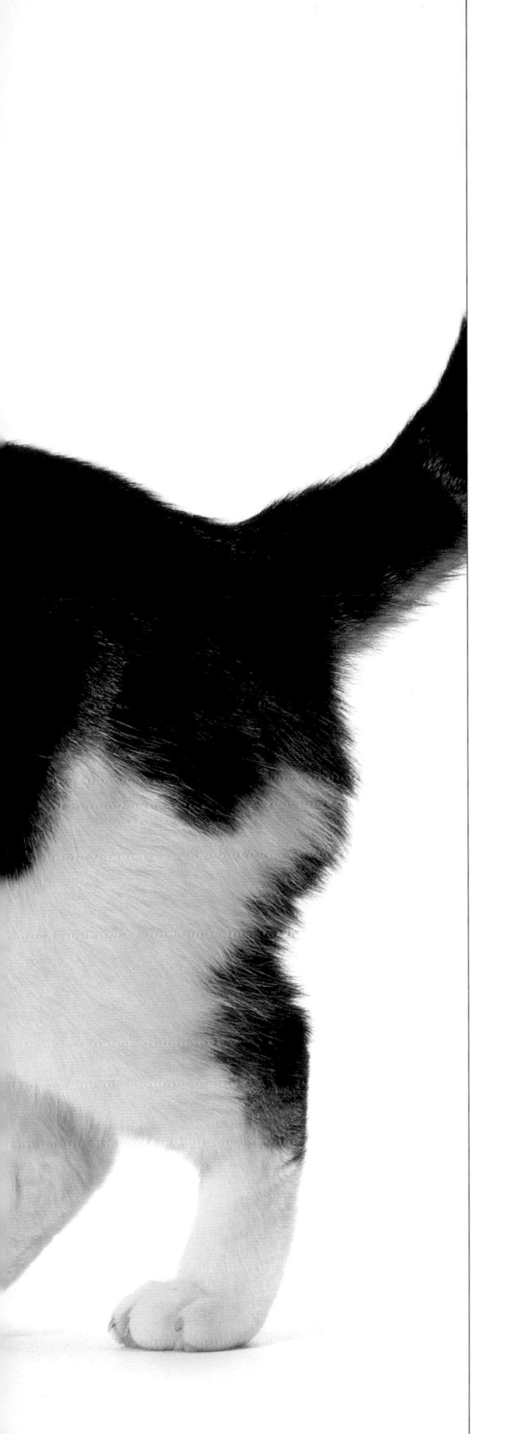

AMERICAN SHORTHAIR

Les chats domestiques introduits en Amérique du Nord par les colons s'adaptèrent progressivement à leur nouvel environnement, en développant une robe plus épaisse et plus dense, mais aussi une taille plus grande que celle de leurs cousins européens. L'american shorthair est une race reconnue depuis le début du XXe siècle, principalement en Amérique du Nord. Autrefois baptisé « domestic shorthair », l'american shorthair présentait nombre de caractéristiques communes avec les chats domestiques américains dépourvus de pedigree. Le nom de la race fut donc modifié dans les années 1960. Si l'american shorthair peut présenter toutes les couleurs et motifs de robe, le tabby classique argent, brun ou rouge reste le plus largement représenté. Ce chat sociable apprécie la compagnie des enfants et des autres animaux.

Autre nom : domestic shorthair.
Origine : États-Unis.
Poids : 4 à 6,75 kg.
Portrait : un chat de taille moyenne, à la tête ronde et large, aux grands yeux ronds, aux oreilles bien espacées, arrondies à leur extrémité, aux pattes musclées et à la queue épaisse, de longueur moyenne. La robe est courte, épaisse et très dense.
Entretien : brossage régulier.
Caractère : intelligent, facile à vivre, sociable.
Race apparentée : le british shorthair, à corps plus rond et massif, ou l'européen, à tête plus triangulaire et au museau plus marqué.

CALIFORNIAN SPANGLED

Un petit félin aux allures de chat sauvage, issu de croisements entre différents chats domestiques – dont certains avec pedigree – et chats harets égyptiens. Le terme spangled, signifiant littéralement « pailleté », fait référence en ornithologie aux taches rondes et foncées du plumage de certains oiseaux. Le motif tabby tacheté de la robe du chat évoque le pelage du léopard, marqué de taches sur le dos et les flancs et de rayures au sommet de la tête et au niveau de l'encolure. La robe courte présente un poil long au niveau de la queue et du ventre. Ce chat, doux de nature et peu exigeant, se montre assez indépendant et énergique. Apparue il a près de trente ans, la race reste encore assez méconnue en Amérique du Nord et dans le reste du monde.

AUTRE NOM : aucun.
ORIGINE : États-Unis.
POIDS : 5,5 à 8 kg.
PORTRAIT : un grand chat, fin, long et musclé, à front bombé, aux pommettes saillantes, aux yeux ovales or ou verts, aux oreilles attachées haut, arrondies à leur extrémité. La queue, effilée, a le bout arrondi. La robe courte et lustrée présente un poil plus long sur la queue et le ventre.
ENTRETIEN : brossage occasionnel.
CARACTÈRE : actif, doux, sociable.
RACE APPARENTEE : aucune.

BRITISH SHORTHAIR

Une des races de chats les plus anciennes d'Angleterre, le british shorthair est un chat indépendant et autonome. Facile à vivre au sein du foyer, il ne supporte pas d'être trop manipulé et apprécie sa tranquillité. Peu bavard, mais doté d'un doux miaulement, ce chat discret exige un brossage régulier. La silhouette du british shortair dégage une impression générale de rondeur, avec son corps compact et solide, sa tête et ses pattes rondes. La fourrure, dense et pelucheuse, est généralement bleue, d'où l'appellation originale de la race. Une robe aujourd'hui déclinée dans de multiples couleurs, comme blanc, écaille de tortue ou noir, et différentes couleurs à motifs tabby et colourpoint. Beaucoup de ces nouvelles couleurs ne sont pas admises au standard de la race en dehors de la Grande-Bretagne.

Autre nom : british blue.
Origine : Royaume-Uni.
Poids : 4 à 7,75 kg.
Portrait : un chat de constitution robuste, compact et rond, à large poitrine, à tête ronde, aux oreilles de taille moyenne, arrondies aux extrémités, aux pattes courtes, fortes et compactes. La queue est courte et épaisse, à bout arrondi.
Entretien : brossage régulier.
Caractère : facile à vivre, détendu, réservé
Races apparentées : l'american shorthair, moins robuste et compact, l'européen, à tête plus triangulaire et au museau plus marqué. La couleur originelle de la robe du british shorthair lui donnait l'apparence d'un chartreux, moins rond et aux pattes plus fines.

Ci-dessus : british shorthair écaille de tortue et blanc.
Ci-dessous : british shorthair bleu tabby tacheté.
Page ci-contre : british shorthair tabby argenté.

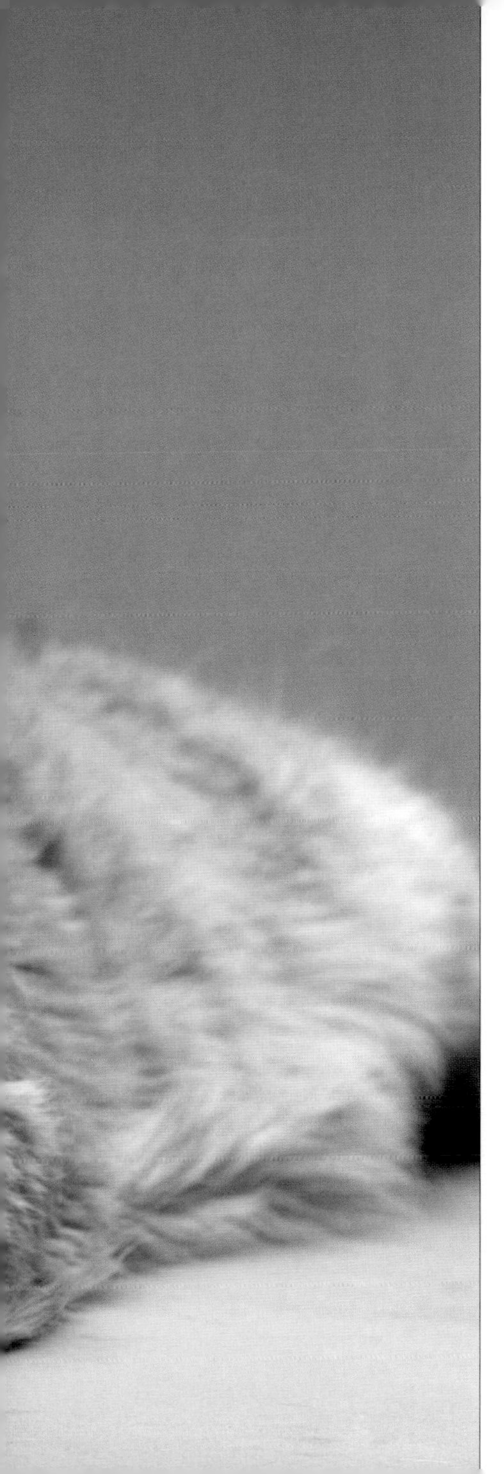

EUROPÉEN

Autrefois assimilé au british shorthair, l'européen a été homologué comme une race distincte dans les années 1980. Les deux races, relativement similaires, s'apparentent aussi à l'american shorthair ; l'européen se distingue pourtant par sa constitution plus légère et sa silhouette moins arrondie. Moins populaire ou peut-être moins connu que ses cousins, ce chat calme et indépendant se montre des plus affectueux. Discret et peu exigeant, l'européen se révèle le félin idéal pour tous ceux qui ne peuvent consacrer trop de leur temps à leur animal de compagnie. La robe, facile à entretenir, se décline en une large gamme de couleurs et de motifs, solides ou tortie point, tabbies et fumés. La couleur des yeux s'accorde souvent à celle de la robe. Certains spécimens présentent des yeux impairs.

Autres noms : européen à poil court, keltic shorthair.

Origine : Europe continentale.

Poids : 3 à 6,75 kg.

Portrait : un chat de taille moyenne à grande, à tête triangulaire aux contours arrondis et au museau bien marqué, aux oreilles droites de taille moyenne, arrondies à leur extrémité, aux pattes musclées, à queue épaisse et effilée, à bout arrondi.

Entretien : brossage occasionnel.

Caractère : intelligent, calme, tranquille.

Races apparentées : le british shorthair, souvent plus rond et compact, l'american shorthair, à tête plus ronde et aux joues plus pleines.

Ci-dessus : européen brun tabby.
Page ci-contre : européen crème.

CHARTREUX

Le chartreux était un chat domestique populaire en France au XVIIe siècle, avant que le nombre de spécimens se raréfie jusqu'à ce que la race soit menacée d'extinction dans le courant du XIXe siècle. Une colonie de chartreux réussit à survivre sur une île au large de l'Angleterre, mais dans les années 1940 le chartreux était à nouveau menacé. La résurrection de la race fut assurée par des croisements entre quelques spécimens restants et des british shorthairs et longhairs bleus.
Le chartreux est un félin séduisant, sous sa robe bleu cendré intense rehaussée par l'orange éclatant de ses yeux. La couleur de la robe et celle des yeux se fixent définitivement vers l'âge de 2 ans. Gentil, affectueux, le chartreux apprécie la compagnie des hommes et particulièrement celle des enfants et des autres animaux.
Ce chat calme, à la fourrure épaisse, exige un brossage régulier.

AUTRE NOM : chat des Chartreux.
ORIGINE : France.
POIDS : 4 à 7,75 kg.
PORTRAIT : un grand chat puissant, à large tête ovale, à grands yeux ronds de couleur cuivre ou or, aux oreilles de taille moyenne, attachées haut, aux pattes courtes et fortes à petits pieds ronds, à queue épaisse effilée à bout arrondi. La robe courte à mi-longue, épaisse et dense, présente une couleur d'un bleu distinctif.
ENTRETIEN : brossage régulier.
CARACTÈRE : tolérant, calme et équilibré.
RACE APPARENTÉE : le british shorthair à poil bleu, aux pattes plus fortes, généralement plus rond et aux joues plus pleines.

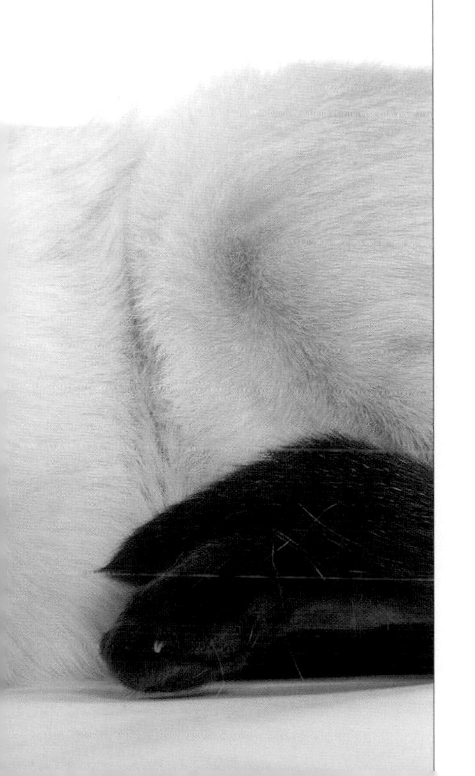

SIAMOIS

En Amérique du Nord, l'Association féline américaine (CFA) ne reconnaît que les siamois colourpoint présentant les couleurs suivantes : brun seal, bleu, chocolat et lilas. Les autres spécimens colourpoint à poil court sont enregistrés comme des colourpoint shorthair.
De même, tous les chats ne présentant pas de robe colourpoint sont enregistrés dans la catégorie « oriental ». En Grande-Bretagne, le standard du siamois englobe tous les motifs et couleurs de robe.
Le premier siamois introduit en Grande-Bretagne dans les années 1880 arrivait de Thaïlande (ancien Siam) où le chat était tenu en grande estime par les moines bouddhistes et la famille royale. La mode du siamois gagna l'Occident et sa popularité atteignit son apogée dans les années 1950.
Intelligent, actif et exigeant, le siamois est un joueur qui ne supporte pas de rester seul. Ce chat affectueux apprécie la vie de famille et le contact des enfants.

Autres noms : colourpoint shorthair, siamois royal.
Origine : Thaïlande.
Poids : 2,75 à 5 kg.
Portrait : un chat de taille moyenne, svelte, à longue tête triangulaire, aux yeux bleus disposés en oblique, largement espacés, aux grandes oreilles pointues, alignées dans le prolongement des côtés de la tête, à longues pattes fines et musclées, à longue queue effilée, terminée en pointe. La robe courte colourpoint présente un poil fin et lustré.
Entretien : brossage occasionnel.
Caractère : réclame de l'attention, énergique, intelligent.
Races apparentées : l'oriental, une variété de siamois dépourvue de robe colourpoint, ou le colourpoint shorthair, un siamois à robe colourpoint ne présentant pas les couleurs traditionnelles.

ORIENTAL

En Amérique du Nord, l'appellation « oriental » renvoie aux siamois dépourvus de robe colourpoint. Les chats peuvent présenter une robe de couleur solide – déclinée dans différentes nuances, des plus classiques (brun seal, chocolat, bleu et lilas) aux plus rares (havana, châtaigne foncé, cannelle abricot ou crème) – ou déclinée en différents motifs et effets, écaille de tortue, tabby, fumé, ombré ou tipped, dans une large gamme de couleurs. Chez l'oriental, le bleu classique des yeux cède la place à un vert émeraude. L'oriental blanc à robe solide est un peu différent, avec des yeux verts ou bleus. En Grande-Bretagne, l'oriental blanc doit avoir les yeux bleus ; cette variété prend alors le nom de foreign white. En dépit de ces différentes appellations, l'oriental reste avant tout un siamois, tant au niveau de l'apparence que du comportement.

AUTRES NOMS : oriental shorthair, foreign shorthair.
ORIGINE : Royaume-Uni.
POIDS : 4 à 5,5 kg.
PORTRAIT : un chat de taille moyenne, à long corps, à longue tête triangulaire, aux yeux verts disposés en oblique, largement espacés, aux grandes oreilles pointues, alignées dans le prolongement des côtés de la tête, à longues pattes fines et musclées, à longue queue effilée. La robe courte présente un poil fin et lustré. La variété à robe blanche peut arborer des yeux bleus.
ENTRETIEN : brossage occasionnel.
CARACTÈRE : réclame de l'attention, curieux, grégaire.
RACES APPARENTÉES : le siamois, le colourpoint shorthair et des orientaux à robe colourpoint.

COLOURPOINT SHORTHAIR

En Grande-Bretagne et en Australie, l'appellation « siamois » englobe tous les motifs et couleurs de robe. En Amérique du Nord, la race colourpoint shorthair renvoie aux siamois à robe colourpoint déclinée dans une couleur non classique ou présentant un motif tabby à rayures ou écaille de tortue. La race présente toutes les caractéristiques du siamois, y compris la couleur bleue de ses yeux. La coloration des points des robes les plus claires, comme le crème ou le faon, se révèle très proche de celle de la couleur de base, d'où un effet de robe très subtil. La robe colourpoint cannelle se rapproche plus de celle du siamois classique. En Amérique du Nord, les robes à points tabbies sont dites « lynx point ».

AUTRES NOMS : siamois, siamois royal.

ORIGINE : Thaïlande.

POIDS : 2,75 à 5 kg.

PORTRAIT : un chat de taille moyenne, svelte, à longue tête triangulaire, aux yeux bleus disposés en oblique, largement espacés, aux grandes oreilles pointues, alignées dans le prolongement des côtés de la tête, à longues pattes fines et musclées, à longue queue effilée, terminée en pointe. La robe courte colourpoint présente un poil fin et lustré.

ENTRETIEN : brossage occasionnel.

CARACTÈRE : réclame de l'attention, énergique, intelligent.

RACE APPARENTÉE : le siamois, en dehors de l'Amérique du Nord.

HAVANA BROWN

Une race sans aucun lien avec Cuba, en dehors de son appellation faisant référence au cigare cubain. Le havana brown vit le jour en Grande-Bretagne, suite au croisement entre un persan siamois et un siamois. Le nom de la race prête à confusion. La couleur de la robe chocolat solide du premier chaton né de cette union fut désignée sous le nom de « havana brown », mais la race fut enregistrée en Grande-Bretagne sous l'appellation « chesnut brown foreign ». En Amérique du Nord, la race prit le nom de « havana brown », mais les chats importés de Grande-Bretagne par les éleveurs furent baptisés « chesnut oriental shorthair ». Ce chat intelligent et très affectueux réclame une certaine attention. Peu bavard et peu exigeant en matière d'entretien, le havana brown est un chat de salon par excellence.

Autres noms : chesnut brown foreign, chesnut oriental shorthair, havana.
Origine : Royaume-Uni et États-Unis.
Poids : 3 à 4,5 kg.
Portrait : un chat de taille moyenne, musclé, à museau rectangulaire, aux grands yeux verts de forme ovale, aux grandes oreilles pointues, largement espacées, aux pattes de longueur moyenne à pieds ovales, à queue légèrement effilée. La robe courte présente une fourrure épaisse, de couleur brun acajou uniforme.
Entretien : brossage occasionnel.
Caractère : intelligent, sociable, joueur.
Race apparentée : aucune.

SNOWSHOE

Le nom de la race fait référence aux marques ou gants blancs situés au bas des pattes du chat. Le snowshoe est issu du croisement entre un siamois et un american shorthair bicolore, d'où la morphologie du chat associant les caractéristiques de ces deux races. Ce chat de taille moyenne, agile, présente une tête formant un triangle aux contours légèrement arrondis et des yeux d'un bleu intense. La robe se décline en deux motifs, ou patrons, mitted ou bicolore, et quatre couleurs, seal, chocolat, bleu et lilas. Les gants blancs doivent apparaître au niveau des quatre pattes – chez le siamois, cette caractéristique autrefois acceptée est aujourd'hui considérée comme un défaut au standard de la race. Ce chat joueur et communicatif, au miaulement plus doux que celui du siamois, apprécie la compagnie des enfants et se satisfait pleinement de la vie d'un chat de salon dorloté.

Autre nom : silver laces cat.
Origine : États-Unis.
Poids : 2,75 à 4,5 kg.
Portrait : un chat de taille moyenne, agile, à large tête triangulaire aux contours arrondis, aux yeux bleus de forme ovale, aux grandes oreilles alignées dans le prolongement du triangle de la tête, aux pattes assez longues, à la queue légèrement effilée. La robe courte et douce, à la coloration subtile, présente des gants blancs ou des marques blanches au niveau des pieds, ainsi qu'un V inversé blanc au niveau du masque.
Entretien : brossage occasionnel.
Caractère : affectueux, aimable, amical.
Race apparentée : aucune.

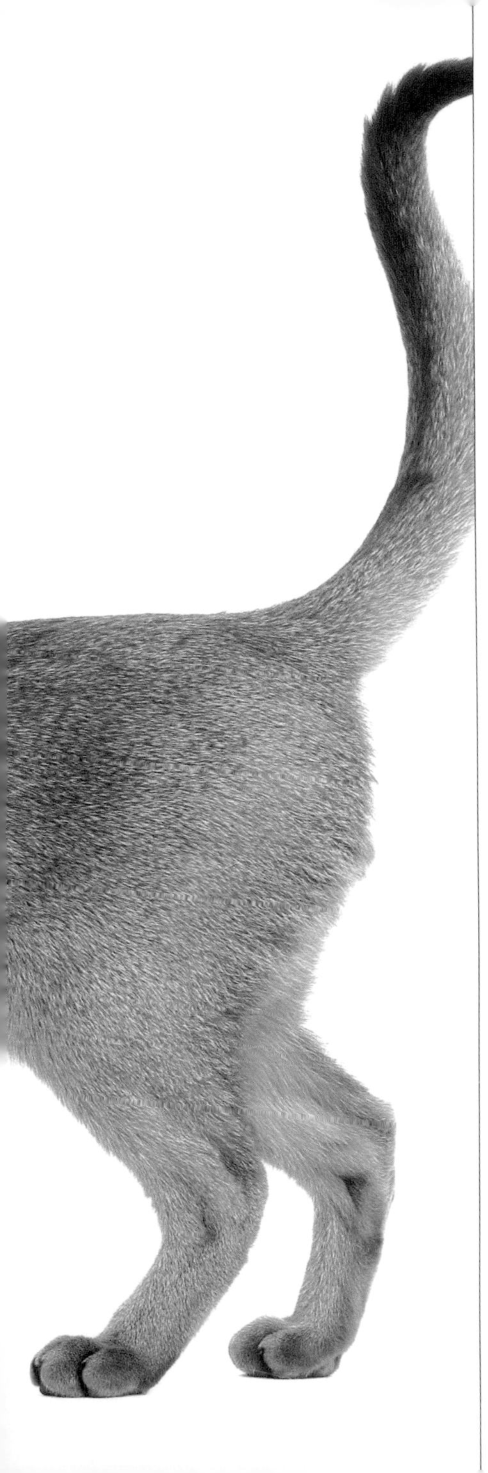

ABYSSIN

Les ancêtres de l'abyssin auraient été ramenés en Grande-Bretagne vers la fin du XIXe siècle, au retour des troupes de la guerre d'Abyssinie. Certains spécialistes contestent cette origine en avançant d'autres théories. La caractéristique la plus étonnante du chat tient au motif tabby tiqueté de sa robe, souvent d'un brun-rouge intense baptisé « lièvre », référencé sous le terme « ruddy » aux États-Unis et « usual » au Royaume-Uni. La race se décline également en bien d'autres couleurs : sorrel (rouge), bleu, faon et argenté. L'abyssin est un chat sociable, appréciant la compagnie des hommes et des autres animaux mais épris de liberté et supportant difficilement de vivre dans un cadre trop confiné. Généralement calme, le chat s'exprime par un miaulement plaisant.

Autre nom : bunny cat (chat lapin).
Origine : Éthiopie.
Poids : 3,5 à 7,25 kg.
Portrait : un chat musclé et souple, à tête triangulaire, aux grandes oreilles en forme de coupe, pointées vers l'avant, aux longues pattes fines, à la queue légèrement effilée, de même longueur que le corps. Les yeux en amande, légèrement arrondis, sont verts ou or. La robe mi-longue, élastique au toucher, présente un poil fin.
Entretien : brossage occasionnel.
Caractère : réclame de l'attention, joueur.
Race apparentée : le somali, à tête plus ronde, à robe plus longue et à queue plus fournie.

KORAT

Chat élégant à la robe bleu-gris argenté et aux yeux verts à ambre, le korat est considéré comme un porte-bonheur en Thaïlande, son pays d'origine. Musclé et compact, ce chat à la tête en forme de cœur masque sous son apparente innocence une étonnante volonté et une détermination farouche. Le korat est un chat joueur, réclamant beaucoup d'attention, appréciant la compagnie, mais timide vis-à-vis des étrangers. Peu bavard, ce chat à robe courte déclinée en une seule couleur solide réclame un minimum d'entretien. En dépit de son origine, le korat ne ressemble en rien au siamois sur le plan de la morphologie. Assez connue en Amérique du Nord, la race reste rare en dehors de la Thaïlande.

Autre nom : si-sawat.
Origine : Thaïlande.
Poids : 3 à 4,5 kg.
Portrait : un chat de taille moyenne, compact fort et puissant, à tête en forme de cœur, aux gros yeux ronds jaune-vert, aux grandes oreilles arrondies à leur extrémité et attachées haut, à queue effilée à bout arrondi. La robe courte d'un bleu-gris lustré présente un tipping argenté.
Entretien : brossage occasionnel.
Caractère : sociable, déterminé.
Race apparentée : le bleu russe, à constitution plus légère, à double fourrure épaisse et aux yeux vert émeraude.

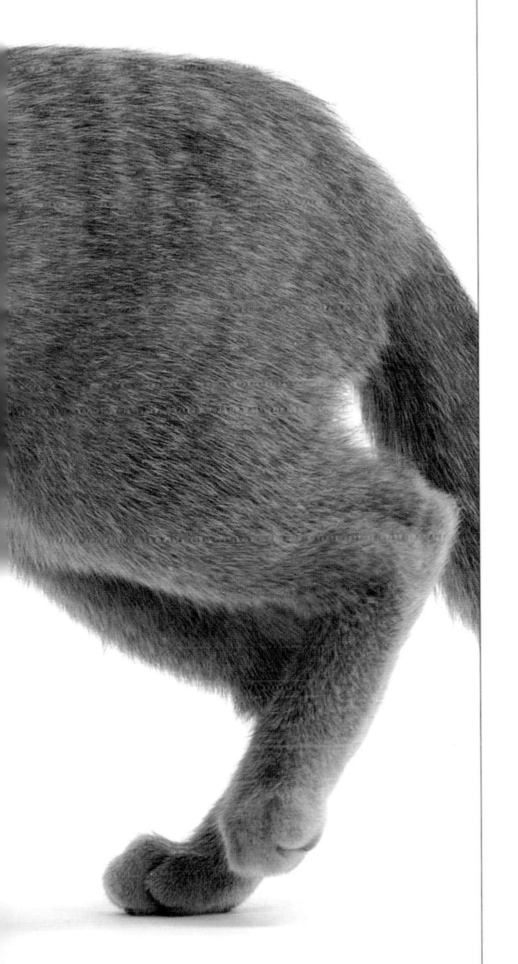

RUSSE

Une race à robe traditionnellement courte, même si des spécimens à poil long, parfois référencés comme une race à part entière sous le nom de « nebelung », commencent à voir le jour. L'épaisse double fourrure du chat présente un poil légèrement dressé, d'un bleu-gris intense nuancé d'argent. Certains éleveurs ont mis au point des spécimens à robe noire ou blanche solides, baptisés « noir russe » et « blanc russe », non reconnus par les fédérations et associations félines officielles. Gentil mais craintif, le bleu russe est un chat intelligent, ayant parfois tendance au vagabondage. Énergique mais prudent, ce chat peu bavard se révèle souvent assez indépendant.

Autres noms : chat d'Arkhangelsk, archange bleu, chat de Malte, bleu de Norvège, bleu d'Espagne, américain bleu, russian shorthair.

Origine : Russie.

Poids : 2,75 à 5,5 kg.

Portrait : un chat souple et gracieux, à tête plutôt triangulaire, aux oreilles pointues largement espacées, aux yeux verts en amande largement espacés, aux pattes fines, longues et musclées. La queue, de longueur moyenne et effilée, a le bout arrondi. La robe courte et dense bleu-gris présente un poil à reflet argenté.

Entretien : brossage occasionnel.

Caractère : craintif, affectueux, énergique.

Race apparentée : le nebelung, à robe plus longue et à queue plus fournie.

BURMESE AMÉRICAIN

Le burmese américain se révèle plus rond que son cousin européen. La race est issue du croisement entre des chats bruns de Birmanie et des siamois. Sa morphologie arrondie résulte d'une sélection plus tardive qui, malheureusement, entraîna quelquefois la naissance de chats présentant une malformation congénitale du crâne, souvent fatale pour l'animal. La robe courte et lustrée au poil traditionnellement sable, est aujourd'hui proposée en d'autres couleurs solides, champagne, bleu, sable tortie, cannelle ou platine. Le bleu et l'argenté sont nuancés de faon, une subtilité qui a pour effet de réchauffer la couleur de la robe. Le burmese américain est un chat peu bavard, généralement très à l'aise en compagnie des hommes.

Autres noms : burmese, mandalay.
Origine : Myanmar (ancienne Birmanie).
Poids : 3,5 à 5,5 kg.
Portrait : un chat compact et musclé, à tête ronde, aux oreilles largement espacées, pointées vers l'avant, arrondies à leur extrémité, aux yeux ronds de couleur or, aux pattes fines de longueur moyenne, à queue de longueur moyenne. La robe courte et lustrée présente un poil fin et soyeux.
Entretien : brossage occasionnel.
Caractère : affectueux, intelligent, joueur.
Race apparentée : le burmese européen, au profil plus anguleux et à tête plus triangulaire.

BURMESE EUROPÉEN

Si le burmese européen et le burmese américain possèdent des ancêtres communs, les deux races se sont développées différemment de chaque côté de l'Atlantique. Le burmese européen est un chat au profil plus anguleux et musclé que celui de son cousin américain. Sa tête de type plus oriental est animée par de grands yeux disposés légèrement en oblique. La race se décline en rouge, crème, seal tortie, bleu tortie, chocolat tortie et lilas tortie. Chez certains spécimens, le classique jaune ambre des yeux est remplacé par du vert. En dépit de ces différences, les deux races présentent un caractère assez semblable. Loyal et amical, le burmese européen se révèle un compagnon idéal, appréciant la compagnie des hommes, aimant aussi le contact avec les autres animaux.

Autres noms : burmese anglais, burmese.
Origine : Myanmar (ancienne Birmanie).
Poids : 3 à 6,25 kg.
Portrait : un chat au profil anguleux, musclé, à tête triangulaire, aux oreilles largement espacées, de taille moyenne, arrondies à leur extrémité, aux pattes fines à coussinets ovales, à queue effilée à bout arrondi. Les grands yeux ronds jaunes à ambre sont largement espacés et légèrement disposés en oblique.
Entretien : brossage occasionnel.
Caractère : intelligent, vif, amical.
Race apparentée : le burmese américain, au profil plus rond.

ASIAN

Le terme d'asian regroupe différentes variétés et races distinctes, comme le burmilla et le bombay. On distingue ainsi l'ombré (argenté sur près de la moitié de la longueur du poil) appelé «burmilla», le fumé (à robe pigmentée mais à sous-poil blanc) appelé «burmoire», le self à robe uniforme comme le bombay à robe noire solide, et enfin le tabby à motif rayé, tacheté ou marbré. L'asian ombré fut la première variété d'asian à voir le jour, suite au croisement entre un burmese et un persan chinchilla à poil long. Chaque variété d'asian se décline en une large gamme de couleurs.

Autres noms : le groupe inclut le burmilla, le bombay et le burmoire.

Origine : Royaume-Uni.

Poids : 4 à 7,25 kg.

Portrait : un chat de taille moyenne, bien musclé, à courte tête triangulaire, arrondie au sommet, aux grandes oreilles largement espacées, aux pattes de longueur moyenne à coussinets ovales, à queue effilée plus ou moins longue et à bout arrondi. Les yeux en amande, légèrement arrondis, peuvent présenter toutes les nuances, de l'or au vert.

Entretien : brossage régulier.

Caractère : réclame de l'attention, équilibré, détendu.

Races apparentées : le burmilla, à robe claire présentant un tipping de couleur contrastée, le bombay à robe noire. Le bombay de type américain est une race distincte présentant elle aussi une robe noir de jais.

BOMBAY (ASIAN)

Le bombay de type britannique est un asian self noir à poil court qui se décline aujourd'hui en différentes couleurs. Race distincte du bombay de type américain, il partage pourtant avec lui un même ancêtre, le burmese. La race est aussi issue de croisements avec des chats sans pedigree, même si le bombay de type britannique possède une morphologie proche de celle du burmese. Sa robe montre un poil d'un noir uniforme, les yeux affichent toutes les nuances, de l'or au vert. Comme tous les autres asians, le chat se montre grégaire, actif mais peu bavard. Sa robe lustrée et épaisse exige un brossage régulier pour conserver tout son attrait.

AUTRE NOM : asian.
ORIGINE : Royaume-Uni.
POIDS : 4 à 7,25 kg.
PORTRAIT : un chat de taille moyenne, bien musclé, à courte tête triangulaire, arrondie au sommet, aux grandes oreilles largement espacées, aux pattes de longueur moyenne à coussinets ovales, à queue effilée plus ou moins longue et à bout arrondi. Les yeux en amande, légèrement arrondis, peuvent présenter toutes les nuances, de l'or au vert. La robe est courte, noire et lustrée.
ENTRETIEN : brossage régulier.
CARACTÈRE : réclame de l'attention, équilibré, détendu.
RACE APPARENTÉE : le bombay de type américain est une race distincte présentant elle aussi une robe noir de jais mais des yeux or cuivré.

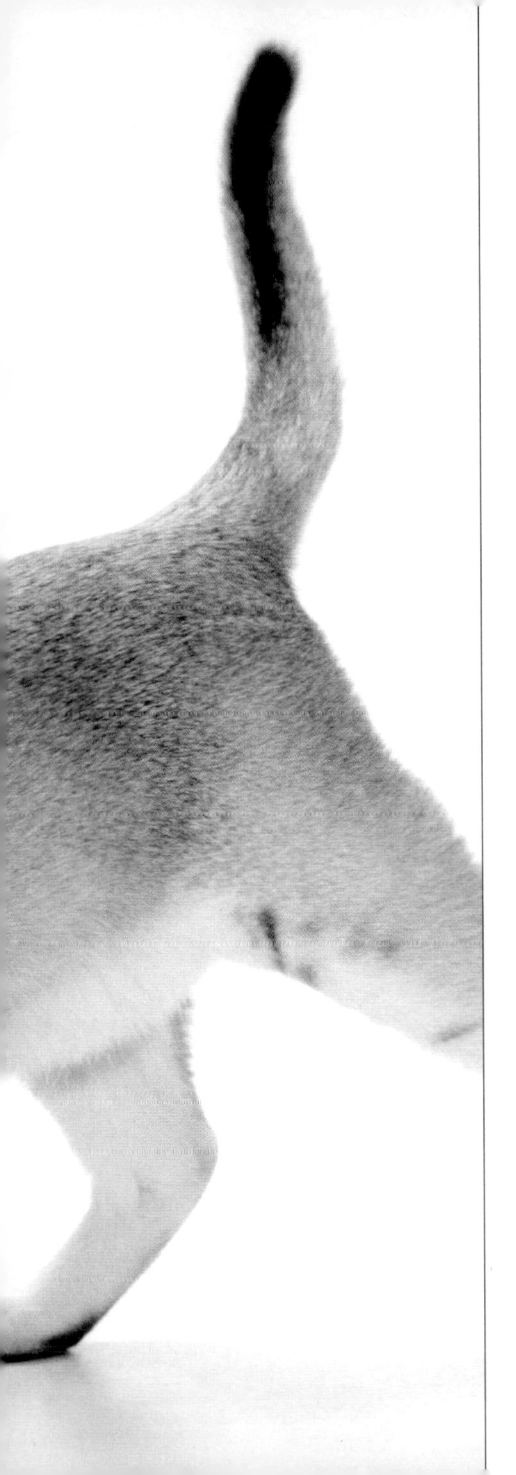

BURMILLA

Descendant du burmese et du persan chinchilla à poil long, le burmilla présente la même morphologie et le même caractère que le burmese, mais la coloration originale de sa robe est héritée du persan chinchilla. Sa robe courte délicatement ombrée présente un tipping caractéristique, avec l'extrémité du poil colorée et la base blanc argenté. La race se décline en différentes autres couleurs : chocolat, rouge, lilas, abricot, bleu tortie et caramel tortie. Quelquefois surnommé « asian ombré », le burmilla appartient au groupe de l'asian à poil court. Sociable, équilibré et affectueux, le burmilla apprécie la vie de famille, le contact avec les enfants et les autres animaux. Ce chat peu bavard réclame une certaine attention mais ne se montre pas trop exigeant.

Autre nom : asian ombré.
Origine : Royaume-Uni.
Poids : 3,5 à 5,5 kg.
Portrait : un chat de taille moyenne, musclé et compact, à tête triangulaire, arrondie au sommet, aux oreilles de taille moyenne à grande, largement espacées et pointées vers l'extérieur, aux pattes de longueur moyenne à coussinets ovales, à longue queue effilée à bout arrondi. Les yeux ronds présentent toutes les nuances, de l'or au vert. La robe courte et douce présente une base de poil claire à l'extrémité plus foncée.
Entretien : brossage régulier.
Caractère : affectueux, joueur, sociable.
Races apparentées : le burmilla appartient au groupe de l'asian à poil court, décliné en différentes couleurs de robe.

BENGAL

Une race issue du croisement entre un chat sauvage, une sorte de chat-léopard d'Asie, et un chat domestique. Le bengal arbore une robe épaisse et luxuriante, souvent tachetée – comme celle d'un léopard – ou marbrée, avec des rayures de couleur réparties de façon aléatoire. Certains spécimens présentent une robe noire uniforme. Comme celle du chat sauvage, mais à la différence de celle du chat domestique, la robe du bengal présente un marquage fait de taches ou rayures formant un motif asymétrique. Les premiers bengals faisaient preuve d'un tempérament imprévisible, hérité de leur ancêtre, le chat sauvage, mais les programmes d'élevage se sont attachés à adoucir le caractère du bengal, aujourd'hui présenté comme un chat vif, actif et assez indépendant. Cette race confidentielle a su séduire les éleveurs et le nombre d'individus ne cesse d'augmenter.

Autres noms : léopardettes, chat du Bengale, bengali.
Origine : États-Unis.
Poids : 4,5 à 10 kg.
Portrait : un chat de grande taille, fin et musclé, à tête assez large mais légèrement allongée, aux oreilles courtes à l'extrémité arrondie, aux yeux ovales largement espacés, aux pattes musclées de longueur moyenne, à la queue épaisse à bout arrondi, portée bas. La robe, tachetée ou marbrée, présente une fourrure épaisse, douce et luxuriante.
Entretien : brossage occasionnel.
Caractère : actif, intelligent, affirmé.
Race apparentée : aucune.

SNOW BENGAL

La sélection initiale du bengal fit appel au croisement de chats sans pedigree avec le chat-léopard d'Asie. Les programmes d'élevage et de sélection utilisèrent plus tard le siamois pour créer de nouvelles lignées ; cette introduction donna involontairement naissance à une variété de bengal aux yeux bleus étonnants, dotée d'une robe des plus originales. Le snow bengal présente une robe courte tachetée ou marbrée, à fond blanc, soulignée de délicats reflets blancs au niveau des marques colorées.

Autre nom : aucun.
Origine : États-Unis.
Poids : 4,5 à 10 kg.
Portrait : un chat de grande taille, fin et musclé, à tête assez large mais légèrement allongée, aux oreilles courtes à l'extrémité arrondie, aux yeux bleus, ovales et largement espacés, aux pattes musclées de longueur moyenne, à la queue épaisse à bout arrondi, portée bas. La robe, tachetée ou marbrée, présente une fourrure épaisse, douce et luxuriante.
Entretien : brossage occasionnel.
Caractère : actif, intelligent, affirmé.
Race apparentée : aucune.

BOMBAY

Un chat étonnant à robe solide noir de jais et aux grands yeux d'un jaune cuivré éclatant. La race est issue du croisement entre american shorthair noir et burmese zibeline, d'où parfois la naissance de chatons zibeline au sein de certaines portées. Le chat apprécie la compagnie des hommes et adore se lover sur les genoux de son maître. Le bombay se montre sociable avec les enfants et les autres animaux. Le poil court et couché de la robe facilite son entretien. Actif et curieux, le chat se révèle capable de marcher en laisse comme un chien et se montre toujours prêt à jouer. Race peu répandue en dehors des États Unis, le bombay est souvent confondu avec le bombay de type britannique, un asian à poil court arborant comme lui une robe solide noir de jais.

Autre nom : aucun.
Origine : États-Unis.
Poids : 3 à 5 kg.
Portrait : un chat musclé de taille moyenne, à ossature forte, à tête ronde, aux oreilles larges à la base et à l'extrémité arrondie, aux grands yeux ronds cuivre à or, aux pattes robustes de longueur moyenne, à la queue épaisse de longueur moyenne. La robe solide noir de jais présente un poil brillant, couché sur le corps.
Entretien : brossage occasionnel.
Caractère : actif, curieux, affectueux.
Races apparentées : le burmese, légèrement plus petit, au corps plus ramassé et aux pattes plus courtes. Le bombay de type britannique est un asian à poil court appartenant à une race différente.

MAU ÉGYPTIEN

En Égypte, le terme *mau* signifie « chat ». Le mau égyptien affiche une ressemblance certaine avec les chats représentés sur les fresques et monuments de l'Égypte ancienne. La race serait issue de chats ramenés du Caire en Italie par la princesse russe Natalia Troubetskoï, avant que cette dernière émigre aux États-Unis en 1956, accompagnée de ses trois chats. Les premières lignées qui virent le jour aux États-Unis descendent de ces chats rapportés en nombre d'Égypte pour accroître le cheptel. Le mau égyptien présente une robe distinctive, marquée de taches foncées sur fond clair. Les taches, plus ou moins grosses mais bien définies, sont réparties de façon aléatoire. Populaire aux États-Unis, le mau égyptien reste encore assez rare en Europe. Un chat sociable et énergique, au caractère équilibré.

Autre nom : aucun.
Origine : Égypte.
Poids : 3 à 5 kg.
Portrait : un chat de taille moyenne, bien musclé, à tête triangulaire aux contours arrondis, aux grands yeux verts en amande, aux oreilles pointues de taille moyenne à grande, aux pattes musclées de longueur moyenne, à queue légèrement effilée de longueur moyenne. La robe courte, fine et soyeuse, présente des marques sombres de différentes formes et tailles, réparties de façon aléatoire.
Entretien : brossage occasionnel.
Caractère : intelligent, loyal, amical
Race apparentée : l'oriental à robe tachetée était autrefois baptisé « mau ». Cette race est pourtant différente, avec un marquage fait de taches rondes réparties de façon symétrique.

OCICAT

Le premier spécimen de la race vit le jour de façon accidentelle, suite au croisement entre un siamois et un siamois abyssin ; le but était de donner naissance à un Siamois tabby point à motif tabby tiqueté. Or, au sein de la portée, un chaton mâle présentait une robe tachetée semblable à celle d'un ocelot. L'expérience fut renouvelée et d'autres chatons à robe tachetée virent le jour. Ces derniers servirent à la sélection d'une nouvelle race baptisée « ocicat ». Ce chat musclé, de taille moyenne, affiche une robe à fond clair, constellée de petites taches foncées. Sous son apparence sauvage, l'ocicat se révèle fiable, sociable et joueur, appréciant la compagnie des enfants. Bavard, il déteste rester seul et accompagnera volontiers son maître, après avoir été dressé à marcher en laisse. Une race encore méconnue.

Autres noms : oci, ocelette.
Origine : États-Unis.
Poids : 3,5 à 6,75 kg.
Portrait : un chat gracieux, musclé et athlétique, à tête triangulaire aux contours arrondis, aux oreilles assez grandes, placées aux coins de la tête, aux yeux en amande disposés légèrement en oblique, aux pattes musclées de longueur moyenne, à queue longue et fine. La robe courte à poil couché est tachetée comme celle d'un ocelot.
Entretien : brossage occasionnel.
Caractère : sociable, joueur, énergique.
Race apparentée : le mau égyptien, à robe tachetée présentant des marques plus foncées et mieux définies, réparties de façon aléatoire.

SINGAPURA

Une des races de chats domestiques parmi les plus petites, aux origines controversées. Pour certains, la race descendrait de chats sans pedigree qui vivaient à l'état semi-sauvage dans les rues de Singapour et qui auraient été importés aux États-Unis par des touristes. Pour d'autres, la race serait issue du croisement entre un abyssin et un burmese. Ce chat plutôt élégant affiche une robe courte à poil couché, déclinée en une seule couleur, sépia agouti, et présentant sur la majeure partie du corps un tiquetage brun foncé sur fond ivoire à l'exception du ventre, de la poitrine et du museau, couleur ivoire. La tête et les pattes arborent quelques marques tabbies. Calme, affectueux, parfois énergique, le singapura apprécie la compagnie des hommes et déteste la solitude.

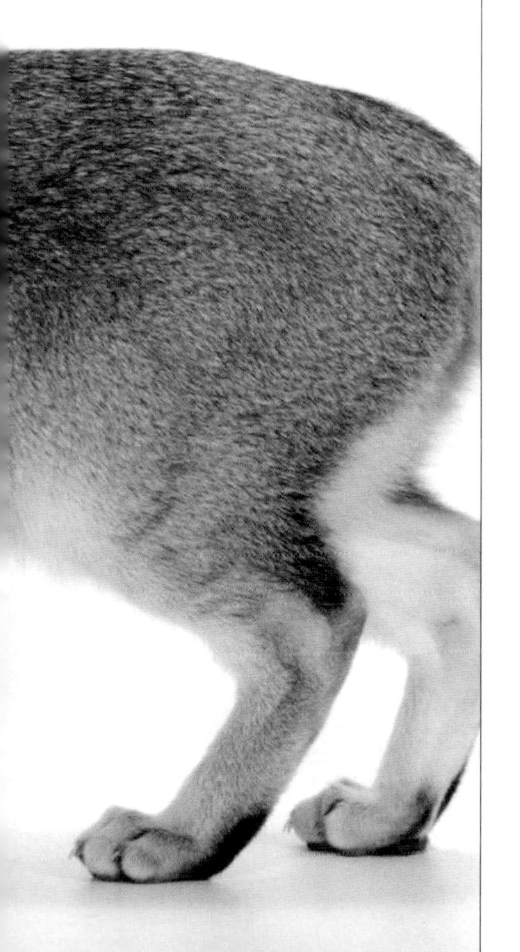

AUTRE NOM : chat de Singapour.
ORIGINE : Singapour et États-Unis.
POIDS : 2,25 à 4 kg.
PORTRAIT : un chat de petite taille, assez trapu, à tête ronde, aux oreilles en forme de coupe et orientées vers l'extérieur, aux yeux en amande, verts, noisette ou or, soulignés d'un maquillage foncé, aux pattes robustes, à queue de longueur égale à celle du corps. La robe courte présente un poil agouti ivoire clair à pointe brun foncé.
ENTRETIEN : brossage occasionnel.
CARACTÈRE : calme, affectueux, intelligent.
RACE APPARENTÉE : aucune.

TONKINOIS

Une race issue du croisement entre siamois et burmese. Le tonkinois est un chat de taille moyenne, au corps musclé et à tête ronde. Les spécimens d'exposition présentent dans l'idéal une robe mink (vison) et des yeux aigue-marine. Les chats sélectionnés dans les programmes d'élevage peuvent afficher d'autres couleurs et motifs de robe, solides ou tiquetés. Brun, chocolat, bleu, lilas et crème se trouvent parmi les couleurs les plus rencontrées. Le tonkinois est un chat enjoué, sociable, intelligent et curieux. Débordant d'énergie et bavard, il apprécie autant la vie de famille que celle de chat de salon. Détestant rester seul, le tonkinois réclame une certaine attention. Encore méconnue il y a peu, la race gagne rapidement en popularité.

AUTRE NOM : siamois doré.
ORIGINE : Amérique du Nord.
POIDS : 2,75 à 4,5 kg.
PORTRAIT : un chat puissant et musclé, à tête triangulaire aux contours arrondis, aux yeux bleu-vert, aux grandes oreilles à l'extrémité arrondie, aux pattes fines et musclées, à queue de même longueur que le corps. La robe courte et soyeuse présente un poil couché sur le corps.
ENTRETIEN : brossage occasionnel.
CARACTÈRE : sociable, affectueux, intelligent.
RACE APPARENTÉE : aucune.

RACES DE CHATS SINGULIÈRES

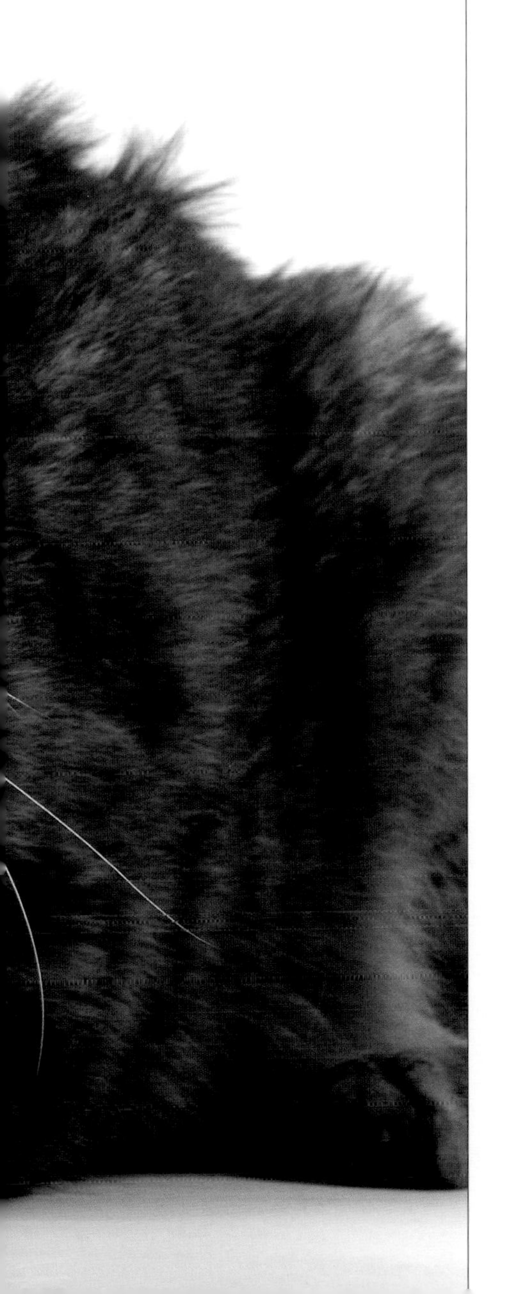

AMERICAN CURL

La caractéristique du chat tient à la forme de ses oreilles aux extrémités recourbées vers le sommet du crâne. La race serait issue d'une lignée de chats sans pedigree chez qui l'incurvation du pavillon de l'oreille apparaissait comme une mutation spontanée liée à l'expression d'un gène dominant. La courbure de l'oreille apparaît chez les chatons vers l'âge de 3 semaines. La robe courte ou le plus souvent mi-longue se décline dans une large gamme de couleurs et sous différents motifs. L'american curl est un félin sociable et amical, appréciant la compagnie des hommes et des enfants, bien adapté à la vie de chat de salon.

Autre nom : aucun.
Origine : États-Unis.
Poids : 3,5 à 5,5 kg.
Portrait : un chat de taille moyenne, musclé, à tête triangulaire aux contours arrondis, aux grands yeux en forme de noix, aux oreilles à pavillon incurvé vers le sommet du crâne, aux pattes de longueur moyenne, à queue effilée, de longueur identique à celle du corps.
Entretien : brossage occasionnel.
Caractère : amical, affectueux, équilibré.
Race apparentée : aucune.

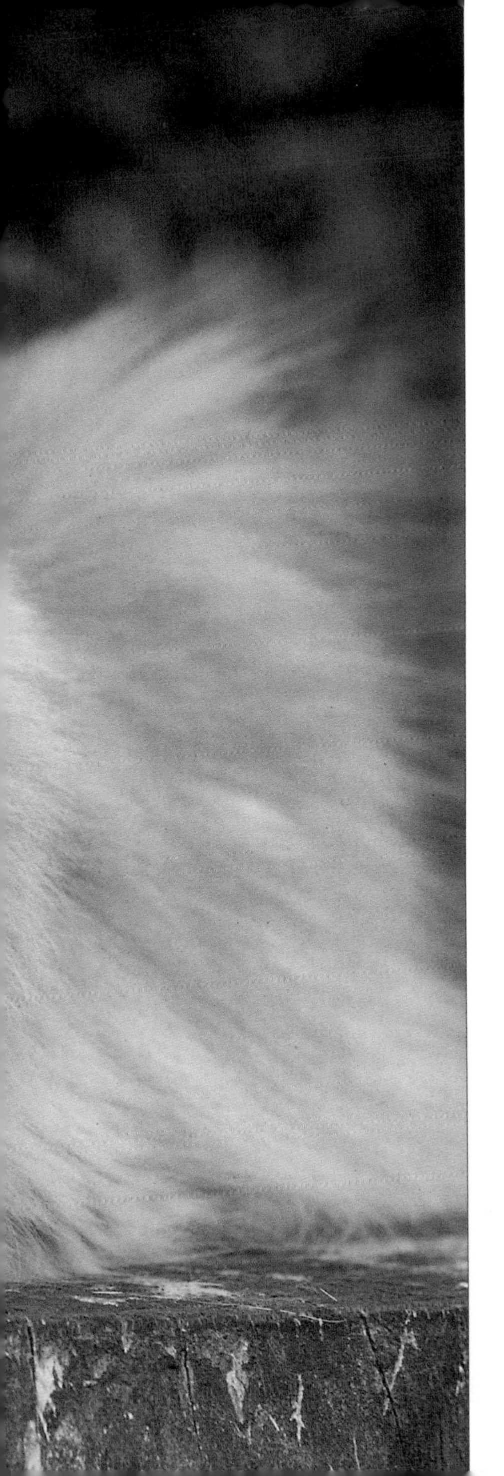

HIGHLAND FOLD

Une variété à poil mi-long du scottish fold, encore plus rare que ce dernier. Les portées de scottish fold comptent régulièrement des spécimens à poil long, mais les chatons présentant des oreilles pliées restent rares. L'accouplement de tels chats entre eux peut entraîner l'apparition de pathologies osseuses d'origine congénitale et le croisement avec une autre race n'a jamais été tenté. La robe du highland fold se décline en une large gamme de couleurs et de motifs ; seul un brossage régulier permettra d'éliminer le poil mort et de conserver tout son éclat à la robe. Les oreilles sont pliées vers l'avant jusqu'à toucher la tête ; une caractéristique liée à une mutation spontanée. L'inclinaison des oreilles apparaît chez les chatons vers l'âge de 3 mois. Amical de nature, le highland fold apprécie la vie de famille et la compagnie des enfants.

Autres noms : coupari, scottish fold à poil long.

Origine : Écosse.

Poids : 4,5 à 6 kg.

Portrait : un chat de taille moyenne, à corps plutôt rond, à tête ronde, à encolure courte, aux grands yeux ronds largement espacés, aux pattes robustes et à la queue épaisse en panache. La robe, mi-longue à longue, présente un poil doux et dressé. Les oreilles sont pliées vers l'avant, comme une casquette.

Entretien : brossage régulier.

Caractère : calme, doux, sociable.

Race apparentée : le scottish fold, identique en tous points mais à robe courte.

SCOTTISH FOLD

La forme caractéristique des oreilles, repliées vers l'avant comme une casquette, est liée à une mutation génétique spontanée. L'inclinaison des oreilles, encore peu marquée chez les chatons, s'affirme entre 1 et 3 mois. Le degré d'inclinaison peut varier d'un spécimen à l'autre. L'accouplement de tels chats entre eux peut parfois entraîner l'apparition de pathologies osseuses d'origine congénitale, mais le croisement avec des spécimens à oreilles droites peut être envisagé, sachant que le gène responsable de la pliure des oreilles est dominant. Le scottish fold présente une robe courte et dense à poil dressé et une longue queue assez touffue. La robe, déclinée en une large gamme de couleurs et de motifs, sera brossée une fois par semaine pour éliminer le poil mort. Ce chat doux et gentil de nature apprécie la compagnie des enfants mais peut se montrer assez réservé et indépendant.

Autre nom : scottish lop.
Origine : Écosse.
Poids : 2,75 à 5,5 kg.
Portrait : un chat de taille moyenne, à corps plutôt rond, à tête ronde, à encolure courte, aux grands yeux ronds largement espacés, aux pattes robustes et à la queue épaisse en panache. La robe, mi-longue à longue, présente un poil doux et dressé. Les oreilles sont pliées vers l'avant, comme une casquette.
Entretien : brossage régulier.
Caractère : placide, doux, sociable.
Race apparentée : l'highland fold, identique en tous points mais à robe longue.

AMERICAN WIREHAIR

Issu d'un chat de ferme mâle né avec une fourrure dense formée de poils crépus, l'american wirehair se révèle en dehors de cette caractéristique d'une constitution très proche de celle de l'american shorthair. Les croisements sont fréquents entre les deux races qui présentent une gamme similaire de couleurs et de motifs de robe. L'american wirehair se distingue par la texture de sa fourrure, dense, à poils crépus, pliés et crochetés dits en « fil de fer ». Les spécimens les plus rares présentent également des moustaches frisées. À la naissance, les chatons arborent quelquefois une robe simple dont la texture se développe tout au long de la première année de croissance. Ce chat plutôt facile à vivre apprécie la compagnie des enfants et les caresses. Un chat populaire aux États-Unis et au Canada, encore rare partout ailleurs.

Autre nom : aucun.
Origine : États-Unis.
Poids : 3,5 à 6,25 kg.
Portrait : un chat de taille moyenne à grande, musclé, à tête ronde, aux oreilles de taille moyenne arrondies à leur extrémité, aux grands yeux bien espacés, aux pattes robustes et aux coussinets compacts, à la queue effilée à bout arrondi. La robe distinctive à fourrure dense présente un poil serré, crépu, dur et crocheté.
Entretien : brossage occasionnel.
Caractère : facile à vivre, actif, amical.
Race apparentée : aucune.

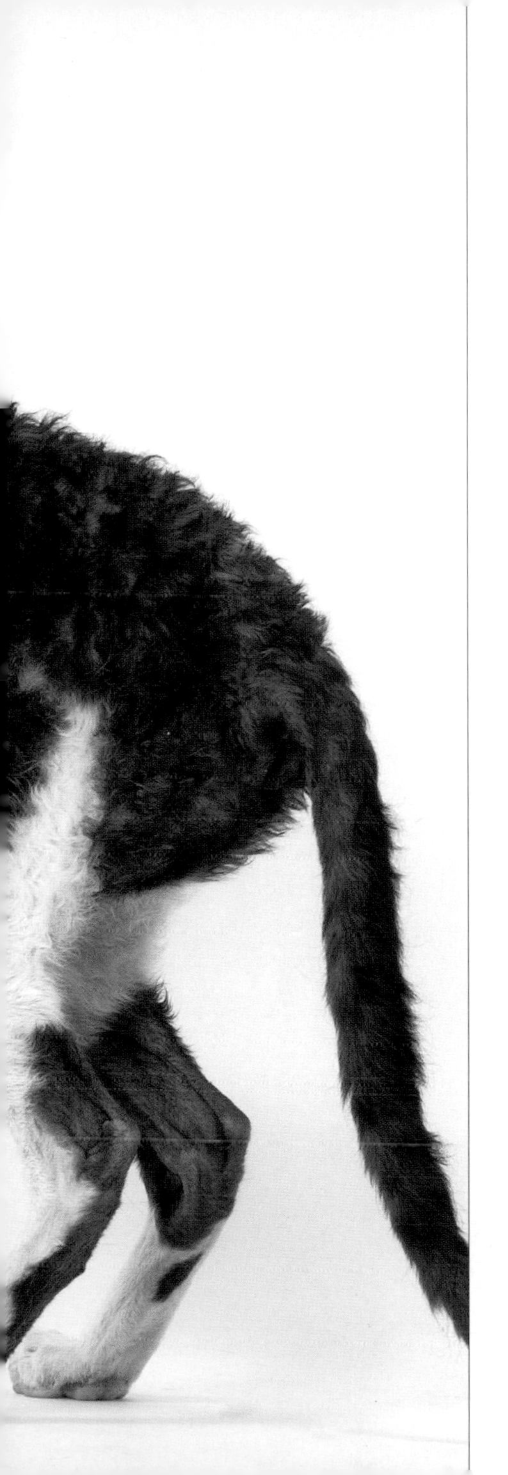

CORNISH REX

La robe à poil cranté du cornish rex est liée à une mutation spontanée que les éleveurs se sont empressés d'entretenir en renforçant le gène récessif responsable de cette texture. Les croisements consanguins souvent responsables de problèmes de santé poussèrent les éleveurs à introduire d'autres races dans la sélection. La robe douce, fine et crantée du cornish rex ne protège pas le félin du froid ou de la chaleur. Le chat se montre joueur, affectueux, débordant d'énergie et bavard. Le standard nord-américain impose un chat au corps fin, à dos très arqué, au ventre haut et aux grandes oreilles ; le standard britannique privilégie une tête au crâne aplati, de plus petites oreilles et un museau droit. La robe présente une fourrure crantée à effet de vagues successives, déclinée dans une large gamme de couleurs et motifs, colourpoint, écaille de tortue ou ombré.

Autres noms : coodle, english rex.
Origine : Royaume-Uni.
Poids : 2,75 à 4 kg.
Portrait : un chat fin, à large tête ovale, aux yeux ovales disposés en oblique, aux grandes oreilles en forme de coupe et attachées haut, à large poitrine, aux pattes fines et longues, à la queue fine et longue, terminée en pointe. La robe distinctive présente une fourrure douce et crantée, assez fragile.
Entretien : brossage occasionnel.
Caractère : joueur, affectueux, agile.
Races apparentées : le devon rex, à tête plus triangulaire, au corps moins allongé et à la robe plus frisée que crantée.

DEVON REX

À première vue, la race semble assez proche du cornish rex, mais la texture particulière de leur robe étant liée à des mutations génétiques différentes, les deux races ne peuvent être croisées. Le devon rex est plus massif que le cornish rex, son poil présente une texture moins marquée, plus ondulée que crantée. La texture de la fourrure résulte elle aussi d'une mutation spontanée, mais l'introduction d'autres races s'avéra nécessaire afin de fixer le gène récessif responsable de l'ondulation du poil. Cet apport participa aussi à élargir la gamme des couleurs de robe et la bonne santé des lignées. La robe se décline aujourd'hui en une large gamme de couleurs et motifs : colourpoint, écaille de tortue et tabby. Chat vif, joueur et acrobate, le devon rex est un chat d'intérieur affectueux, sensible au froid et à la chaleur.

Autre nom : chat caniche.
Origine : Royaume-Uni.
Poids : 2,75 à 4 kg.
Portrait : un chat fin mais musclé, à tête cunéiforme, aux joues pleines et au menton marqué, aux grands yeux, aux grandes oreilles pointues attachées bas, à large poitrine, à longues pattes fines et à longue queue effilée. La robe courte présente une fourrure douce et ondulée, assez fragile.
Entretien : brossage régulier.
Caractère : tolérant, calme et équilibré.
Race apparentée : le british shorthair à poil bleu, aux pattes plus fortes, généralement plus rond.

LAPERM À POIL LONG

Une race à l'apparence curieuse, dotée d'un long poil formant des frisettes sur tout le corps. Le premier laperm vit le jour suite à une mutation spontanée lorsqu'apparut au sein d'une portée de chats de ferme un chaton à peau nue qui, quelque temps plus tard, présenta une longue fourrure douce et frisée. Le gène dominant responsable de cette texture de robe particulière autorisa des croisements avec d'autres races afin de maintenir une certaine diversité au sein du pool génétique, seule garantie de la bonne santé des lignées. Le laperm et le selkirk rex sont les deux seules races de chats à poil long et frisé officiellement reconnues. On distingue une variété de laperm à poil court ondulé, mais pas assez long pour former des frisettes. Chat extraverti, affectueux et curieux, le laperm est très sociable mais a gardé des talents de chasseur qu'il doit à ses origines campagnardes.

Autres noms : dalles laperm, chat alpaga.
Origine : États-Unis.
Poids : 3 à 5 kg.
Portrait : un chat de taille moyenne, lourd, à large tête, au museau rond, aux yeux en amande disposés en oblique, aux oreilles à l'extrémité arrondie, aux pattes longues et musclées, à longue queue effilée en brosse. La robe à frisettes présente une fourrure longue, épaisse et soyeuse. Les moustaches sont parfois frisées.
Entretien : brossage régulier.
Caractère : affectueux, curieux, actif.
Races apparentées : le selkirk rex à long poil, à robe longue et frisée, plus rond et massif, aux oreilles plus petites et largement espacées.

Ci-dessus et page ci-contre : la robe du laperm se décline en une large gamme de couleurs et motifs mais les chatons présentent souvent une peau nue à la naissance.

SELKIRK REX À POIL LONG

Les chatons à poil bouclé qui donnèrent naissance au selkirk rex à poil long présentaient non seulement un gène dominant déterminant la texture de la robe mais aussi un gène récessif responsable du poil long et du motif colourpoint. On distingue deux variétés de selkirk rex, à poil long et à poil court, que le standard ne reconnaît pas de façon officielle comme deux races distinctes. La robe du selkirk rex à poil long, douce et pelucheuse, forme des boucles plutôt souples déclinées en plusieurs couleurs et motifs. Le selkirk rex à poil long peut être croisé avec d'autres races de chats à poil long afin de diversifier le pool génétique et de maintenir les lignées en bonne santé. Les robes les plus étonnantes sont celles de chats issus d'un parent à robe de type rex et d'un parent à poil long.

Autre nom : aucun.
Origine : Royaume-Uni.
Poids : 3,5 à 5 kg.
Portrait : un chat de constitution moyenne, musclé, à tête ronde et museau court, aux oreilles pointues largement espacées, aux grands yeux ronds, aux pattes de longueur moyenne, à queue épaisse à bout arrondi. La robe mi-longue présente une fourrure épaisse, douce et bouclée.
Entretien : brossage régulier.
Caractère : tolérant, sociable.
Race apparentée : le laperm, seule autre race à poil long frisé, à corps plus allongé et moins trapu.

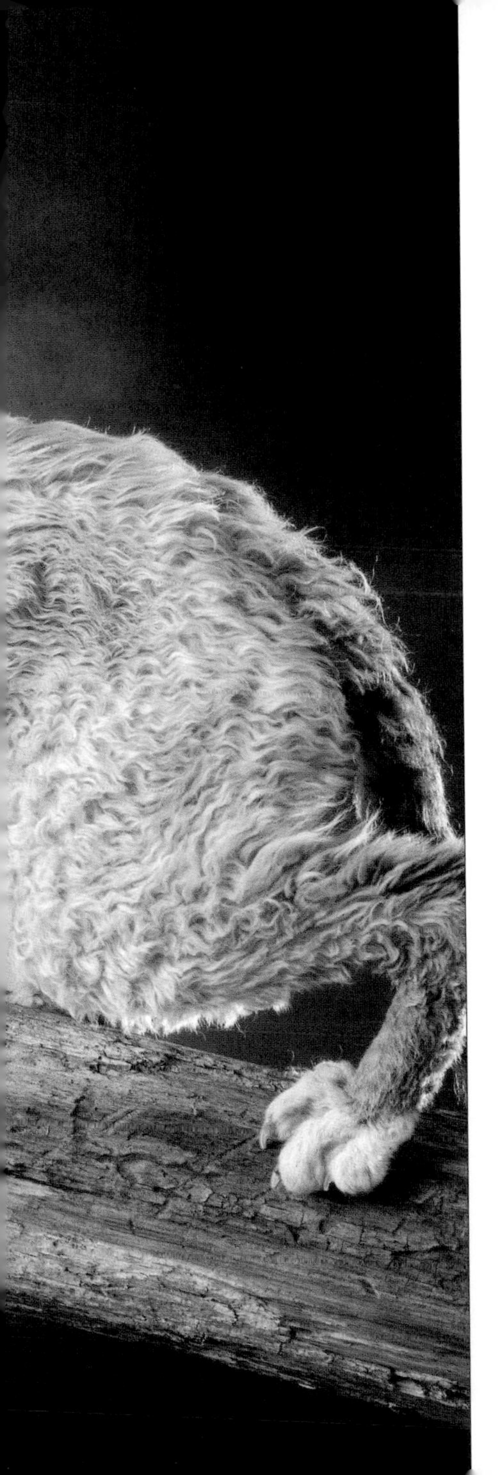

SELKIRK REX À POIL COURT

L'ancêtre de la race est un chaton à poil bouclé né au sein d'une portée de chatons à poil droit, suite à une mutation spontanée liée à l'expression d'un gène dominant. Le spécimen pouvait donc être croisé avec d'autres races afin de diversifier le pool génétique. La race fut baptisée en référence au mont Selkirk, dans le Wyoming, dressé non loin du lieu où le chaton vit le jour. La robe courte à fourrure douce et pelucheuse du selkirk rex à poil court se compose de boucles régulières, déclinées en une large gamme de couleurs et motifs. Les chatons naissent avec une robe et des moustaches bouclées, avant que les boucles se défrisent pour se reformer un peu plus tard, vers l'âge de 8 à 10 mois. Le selkirk rex est peu bavard, tolérant, facile à vivre, réservé mais gentil avec les enfants. Sa robe à poil court limite son entretien à des brossages occasionnels.

Autre nom : aucun.
Origine : États-Unis.
Poids : 3,5 à 5 kg.
Portrait : un chat de constitution moyenne, musclé, à tête ronde et museau court, aux oreilles pointues largement espacées, aux grands yeux ronds, aux pattes de longueur moyenne, à queue épaisse à bout arrondi. La robe courte présente une fourrure épaisse, douce et pelucheuse, formée de boucles régulières.
Entretien : brossage occasionnel.
Caractère : tolérant, sociable.
Races apparentées : le laperm, seule autre race à poil long frisé, à corps plus allongé et moins trapu. Le cornish rex et le devon rex présentent un profil plus oriental.

CYMRIC

En dépit de son nom, dérivé du terme gallois signifiant «pays de Galles», le cymric vit le jour en Amérique du Nord. La race aurait été créée à partir de spécimens de manx à poil long sélectionnés par les éleveurs pour donner naissance à une nouvelle race à poil long. Comme le manx, le cymric est dépourvu de queue (variété rumpy), ou présente une queue courte (variété longy). La race est sensible à toutes sortes de maladies d'origine congénitale et le gène responsable de l'absence de queue entraîne souvent des problèmes au niveau de la colonne vertébrale. Le cymric n'est pas encore reconnu par la Fédération internationale féline. Ce chat amical, détendu mais peu bavard, apprécie la compagnie des hommes et supporte bien les enfants. Un brossage régulier participera à maintenir sa robe en état.

AUTRES NOMS : chat gallois, longhaired manx.
ORIGINE : Amérique du Nord.
POIDS : 4,5 à 5 kg.
PORTRAIT : un chat de taille moyenne, robuste et musclé, à tête ronde, aux yeux ronds disposés en oblique, aux oreilles de taille moyenne à l'extrémité arrondie, aux pattes robustes, plus courtes à l'avant. L'animal est dépourvu de queue. La robe mi-longue présente une fourrure dense et douce, plus longue au niveau de la culotte.
ENTRETIEN : brossage régulier.
CARACTÈRE : affectueux, équilibré.
RACE APPARENTÉE : le manx, très proche du cymric en dehors de sa robe courte.

MANX

Une race réputée pour son absence de queue. En réalité, le chat peut être dépourvu de queue comme la variété rumpy, présenter un vestige de queue comme le manx stumpy ou afficher une queue courte, comme le manx longy. Le gène responsable de ce caractère entraîne parfois des défauts au niveau de la colonne vertébrale. Le manx peut aussi souffrir d'affections congénitales, comme en témoignent ces chats à la démarche sautillante, affichant une différence de longueur entre les pattes postérieures et antérieures. Le premier manx fut le résultat d'une mutation spontanée, mais le pool génétique limité de l'île de Man contribua à fixer ce caractère dans les lignées suivantes. Le manx est peu bavard, amical et détendu. Sociable, il apprécie aussi la compagnie des enfants. Sa robe courte limite son entretien. Certains spécimens à poil long nés au sein de portées de manx ont participé à créer une race baptisée «cymric».

Autre nom : aucun.
Origine : île de Man.
Poids : 4 à 5 kg.
Portrait : un chat de taille moyenne, de constitution solide, à tête large et ronde, aux oreilles droites à l'extrémité arrondie, aux yeux ronds disposés légèrement en oblique, aux pattes courtes et puissantes. L'animal est dépourvu de queue. Les pattes postérieures sont plus longues que les pattes antérieures, la croupe est surélevée par rapport aux épaules. La robe courte présente une double fourrure, épaisse et lustrée.
Entretien : brossage occasionnel.
Caractère : détendu, amical.
Race apparentée : le cymric, la version à poil long du manx.

BOBTAIL JAPONAIS À POIL COURT

La variété à poil court du bobtail japonais est la plus répandue des deux variétés existantes. La queue courte du chat, semblable à celle d'un lapin, forme une sorte de pompon. Au Japon, son pays d'origine, la race est un symbole de chance et de bonheur. La race, connue en Amérique du Nord depuis 1968, reste encore rare en Europe. La queue écourtée est une caractéristique liée à l'expression d'un gène récessif. Les programmes d'élevage étant très réglementés et limités au Japon, le gène a toutes les chances de s'imposer dans les futures lignées. La couleur de robe idéale est le calico, écaille de tortue et blanc, désignée sous le terme *Mi-Kè* au Japon. Le chat affiche souvent des yeux bleus ou or, parfois impairs et donc plus recherchés. Comme son cousin à poil long, le bobtail japonais à poil court est intelligent, enjoué et grégaire.

AUTRES NOMS : bobi, chat-chrysanthème.
ORIGINE : Japon.
POIDS : 2,75 à 4 kg.
PORTRAIT : un chat fin et musclé, à long corps, à large tête triangulaire, aux grandes oreilles dressées largement espacées, aux grands yeux ovales, aux pommettes hautes, à longues pattes fines. La robe mi-longue est soyeuse, la queue courte en éventail forme une sorte de pompon.
ENTRETIEN : brossage occasionnel.
CARACTÈRE : grégaire, intelligent, malicieux.
RACE APPARENTÉE : le bobtail japonais à poil long.

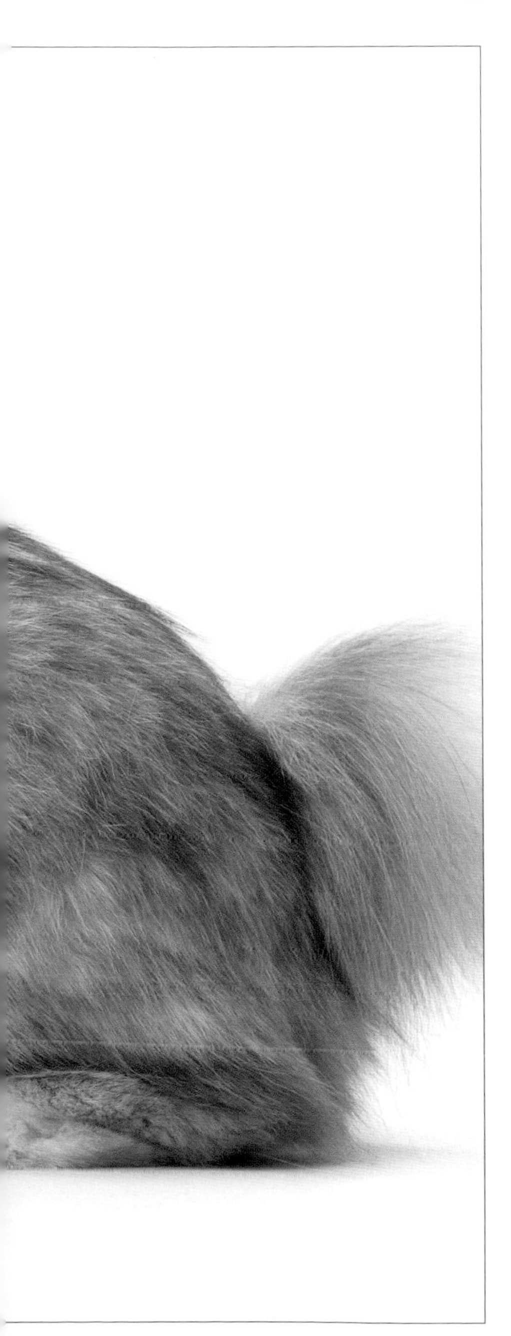

BOBTAIL DES ÎLES KOURILES

Comme son nom l'indique, la race s'est développée sur le chapelet d'îles isolées formant l'archipel des Kouriles, entre le Japon et la Russie. Découvert assez récemment, le bobtail des îles Kouriles aurait vu le jour au XVIIIe siècle. Sa queue courte résulte d'une mutation spontanée qui ne semble pas avoir eu d'effets secondaires sur la santé et la constitution de l'animal. Cette queue courte recourbée et dressée, recouverte d'une touffe de poil épais, ressemble à une sorte de pompon. Cette race, uniquement reconnue par la fédération féline russe, se rencontre aux États-Unis mais reste rare en Europe. Chat grégaire, actif mais peu bavard, le bobtail des îles Kouriles apprécie la compagnie des hommes tout en conservant une nature assez indépendante.

Autre nom : aucun.
Origine : îles Kouriles.
Poids : 3 à 5 kg.
Portrait : un chat de taille moyenne, robuste et musclé, à large tête, aux oreilles dressées de taille moyenne, aux yeux ovales disposés en oblique, au stop marqué, aux pattes robustes mais assez allongées, à la robe mi-longue et soyeuse. La queue courte au poil épais est recourbée et portée droite.
Entretien : brossage régulier.
Caractère : grégaire, amical.
Race apparentée : le bobtail japonais à poil long, d'apparence similaire mais moins robuste, à la queue souvent portée bas, au poil plus fin et plus court.

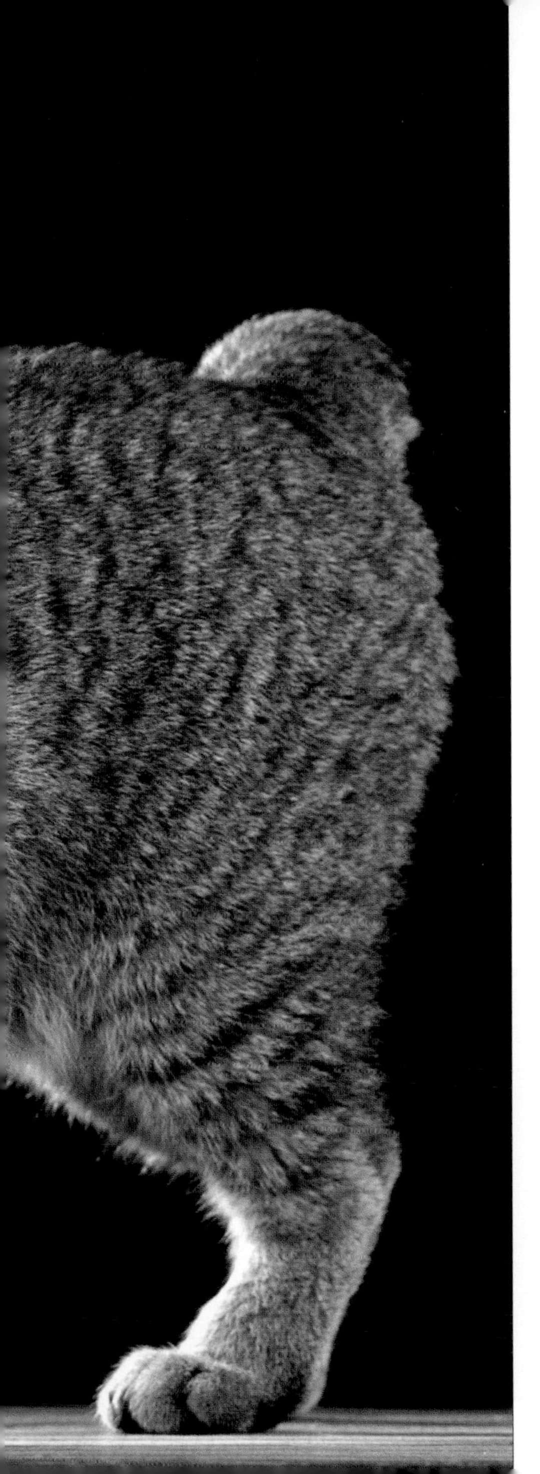

PIXIE-BOB

Ce chat à l'apparence sauvage, semblable au lynx roux américain, pourrait être issu du croisement entre un lynx roux, ou bobcat, et une chatte domestique. Cette origine n'a cependant jamais été véritablement prouvée. Le pixie-bob est un chat de constitution solide, musclé, à fourrure courte et épaisse marquée de taches ou rosettes du motif tabby. La couleur de robe la plus répandue reste le brun, même si d'autres couleurs commencent à voir le jour. Ce chat au caractère a priori fiable et équilibré n'apprécie pas de partager son foyer avec un autre animal et supporte difficilement le moindre changement dans ses habitudes. La race est uniquement reconnue par la fédération féline américaine.

Autre nom : aucun.
Origine : Amérique du Nord.
Poids : 4 à 7,75 kg.
Portrait : un chat de taille moyenne à grande, de constitution solide, à large tête ronde, aux yeux profondément enfoncés dans les orbites, aux oreilles arrondies à leur extrémité, rabattues vers l'arrière, aux pattes robustes, à queue courte et effilée, portée bas. La robe courte présente une fourrure épaisse, à marques tabbies.
Entretien : brossage occasionnel.
Caractère : calme, joueur, indépendant.
Race apparentée : aucune.

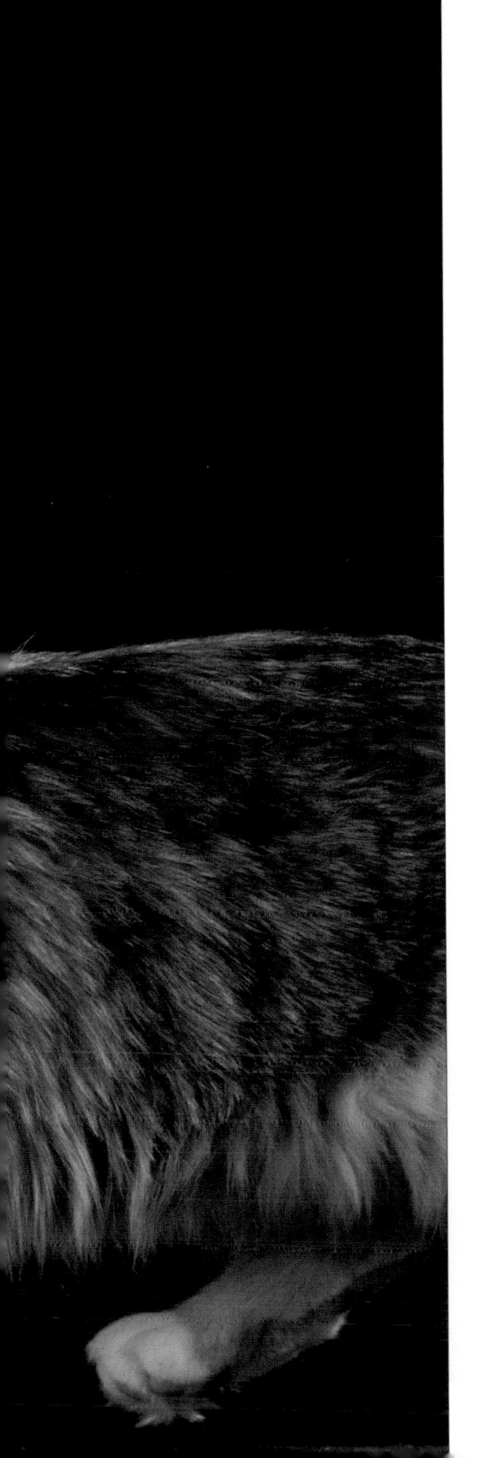

MUNCHKIN À POIL LONG

Race controversée tant au niveau des fédérations félines que des éleveurs, le munchkin n'en reste pas moins populaire. Le félin se reconnaît à ses pattes courtes qui lui valurent le surnom de « chat teckel ». Chez la plupart des races, le nanisme entraîne souvent des problèmes d'arthrite, au niveau du dos et des hanches, mais les éleveurs affirment pourtant que la race ne souffrirait d'aucun de ces troubles. Le chat fut soumis à différents examens vétérinaires avant d'être reconnu par la fédération féline américaine, en 1995. Les premiers spécimens ayant vu le jour suite à une mutation spontanée furent élevés comme des chats sans pedigree, le temps de fixer le caractère « pattes courtes ». Ce chat plein d'assurance, amical, bavard et facile à vivre apprécie la compagnie des enfants. La race se décline en plusieurs couleurs et motifs, à poil long et à poil court.

Autres noms : chat kangourou, chat créole de Louisiane.

Origine : États-Unis.

Poids : 2,75 à 4 kg.

Portrait : un chat de taille moyenne, musclé, à tête triangulaire, aux oreilles dressées et de taille moyenne, aux grands yeux en forme de noix, à robe longue et épaisse, à queue délicatement effilée, à bout arrondi. Les pattes sont courtes et musclées, les pieds légèrement tournés vers l'extérieur.

Entretien : brossage régulier.

Caractère : assuré, intelligent, curieux.

Race apparentée : le munchkin à poil court.

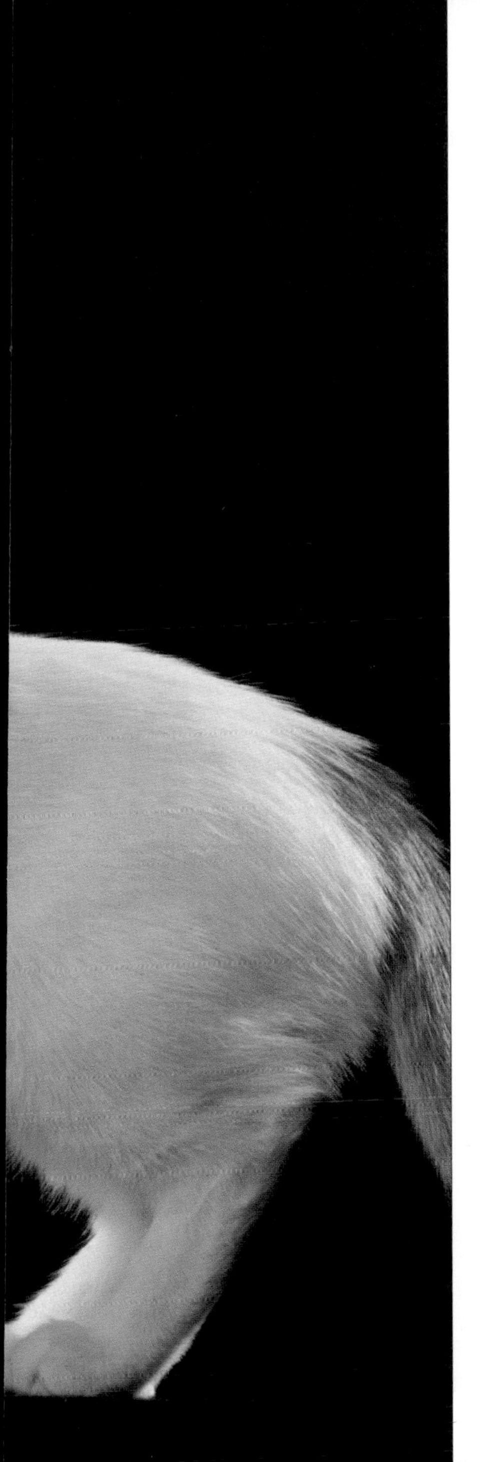

MUNCHKIN À POIL COURT

Il s'agit de la variété à poil court du munchkin, en tous points semblable à son cousin le munchkin à poil long. La race est issue de croisements avec des chats sans pedigree, présentant naturellement différentes couleurs de robe et une large gamme de motifs. La caractéristique du munchkin à poil court tient à la longueur réduite de ses pattes qui donne au chat l'allure d'un teckel version féline. Certains éleveurs travaillent à la sélection de robes bouclées ou de spécimens aux oreilles repliées. En dépit de sa taille, le munchkin court relativement vite, parvient à se toiletter et à grimper aux arbres. En revanche, il rencontre certaines difficultés pour sauter. Plein d'assurance, amical et plutôt bavard, ce chat facile à vivre apprécie la compagnie des enfants.

Autres noms : chat kangourou, chat créole de Louisiane.
Origine : États-Unis.
Poids : 2,75 à 4 kg.
Portrait : un chat de taille moyenne, musclé, à tête triangulaire, aux oreilles dressées et de taille moyenne, aux grands yeux en forme de noix, à robe longue et épaisse, à queue délicatement effilée, à bout arrondi. Les pattes courtes sont musclées, les pieds légèrement tournés vers l'extérieur.
Entretien : brossage occasionnel.
Caractère : assuré, intelligent, curieux.
Race apparentée : le munchkin à poil long.

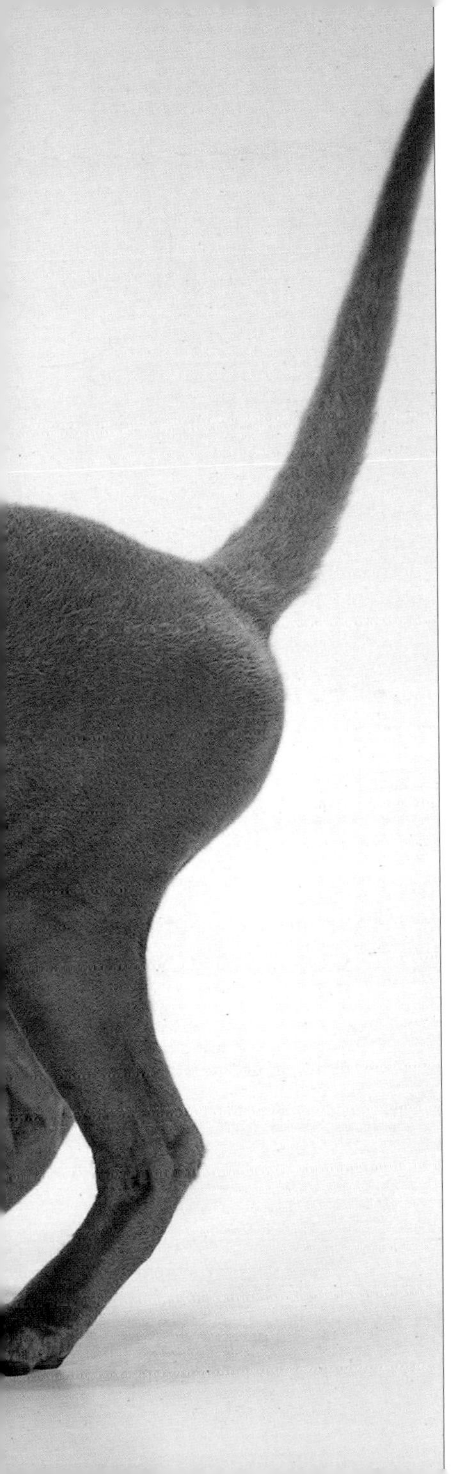

SPHYNX

La plus connue de toutes les races de chats nus, officiellement reconnue aux États-Unis et en Grande-Bretagne. Ces chats seraient apparus spontanément au sein de portées issues de croisements entre chats de ferme et chats harets. Leur sélection participa à la mise au point du devon rex. Le gène récessif responsable de ce caractère s'avéra plus fort que celui du poil bouclé et le sphynx ne tarda pas à s'imposer comme une race à part entière. Sous son apparence étrange, avec sa peau plissée et ses grandes oreilles de chauve-souris, le félin révèle un caractère agréable et facile à vivre. La peau du chat n'est pas véritablement nue, un fin duvet « peau de pêche » recouvre la majeure partie du corps dont la texture rappelle celle du velours. Le chat doit être frotté à l'aide d'une peau de chamois ou shampouiné régulièrement afin de le débarrasser de la substance huileuse naturelle qui tapisse la peau. Sensible au soleil et au froid, ce chat d'intérieur apprécie la compagnie des enfants et des animaux.

Autre nom : canadian hairless.
Origine : Amérique du Sud et du Nord, Europe.
Poids : 3,5 à 5,5 kg.
Portrait : un chat rond et musclé, à tête anguleuse légèrement triangulaire, aux grands yeux ronds, aux oreilles démesurément longues, aux pattes longues et musclées, à queue fine et effilée. La peau apparemment nue est souvent couverte d'un fin duvet.
Entretien : toilette régulière.
Caractère : affectueux, facile à vivre, joueur.
Race apparentée : le peterbald, à l'apparence similaire.

SÉLECTIONNER ET ÉLEVER UN CHAT

CHOISIR SON CHAT

Une fois prise la décision d'adopter un chaton, reste à choisir l'élu de votre cœur. Inutile de chercher à tout prix un chat de race – un simple gouttière peut suffire à votre bonheur. À vous d'apprendre dès lors comment élever, éduquer et entretenir votre petit félin au quotidien, et comment intervenir en cas d'urgence ou de maladie.

Avant toute chose, commencez par évaluer le temps que vous pourrez consacrer à votre chat. Certains supportent plus facilement que d'autres de rester seuls sur de longues périodes. Si vous devez passer plus de quatre heures par jour en dehors de chez vous, évitez d'adopter un trop jeune chaton qui à force d'ennui finira à coup sûr par faire des bêtises. Si vous ne pouvez faire autrement, pourquoi ne pas envisager de prendre deux chatons ? Dans ce cas, optez pour des chatons issus d'une même portée, donc habitués à vivre ensemble.

Tous les membres de la famille doivent participer à cette décision – chacun peut un jour ou l'autre avoir à prendre part activement à certaines obligations concernant l'animal, qu'il s'agisse de le nourrir, de nettoyer son bac à litière ou encore de le brosser… Certaines personnes sont allergiques aux chats, plus précisément à une protéine particulière présente dans la salive de l'animal. En se toilettant quotidiennement, le chat imbibe sa fourrure de salive ; pour minimiser les risques d'allergie, essuyez chaque jour la robe du chat à l'aide d'une éponge humide, même si cette astuce ne règle pas complètement le problème. Si votre famille compte de très jeunes enfants, apprenez-leur comment se conduire avec un chat, en surveillant leur comportement et celui de l'animal lorsqu'ils sont confrontés. Pensez éventuellement au problème de cohabitation posé par la présence d'un autre animal de compagnie dans la maison. La plupart des chiens acceptent facilement la présence d'un chat dans leur foyer, à condition que les présentations aient été faites en douceur et que chacun puisse progressivement s'habituer à l'autre. Si vous possédez des oiseaux, un hamster ou des poissons rouges, veillez à ce que ces derniers ne soient pas perçus comme une proie par votre petit félin. Souvenez-vous qu'un chat vit 15 à 20 ans en moyenne ; ces années de cohabitation doivent donc être envisagées sur les bases d'une décision mûrement réfléchie.

Ci-dessus : surveillez le comportement des jeunes enfants avec un chaton.

Il existe mille et une façons de se procurer un chat. Qu'il soit recueilli dans la nature, adopté suite à une petite annonce ou acheté dans une animalerie, le chat que vous aurez choisi est au départ un inconnu. Rien ne permet de vous renseigner sur ses origines, sur son histoire et sur son caractère. Les refuges recueillent de nombreux chats errants disponibles à l'adoption ; ces institutions ont pour avantage de proposer des animaux en bonne santé, châtrés et vaccinés. En adoptant un chat issu d'un refuge, vous offrez un foyer à un animal qui serait sinon condamné. Si les refuges disposent parfois de chatons, la plupart des chats disponibles sont souvent des sujets déjà adultes ; l'âge ne les empêchera pas pour autant de devenir d'adorables compagnons. Veillez cependant à ce que le chat soit habitué à côtoyer les humains – certains chats harets acceptent en effet d'être quotidiennement nourris mais supportent difficilement un contact trop étroit avec l'homme. Pour une acquisition sans problème, préférez faire appel à un éleveur digne de ce nom. Tous les chats que vous pourrez

Ci-dessus : la première rencontre au refuge.
Page ci-contre : les écuelles se déclinent en une large gamme de formes et de matériaux.

acheter dans une chatterie disposent d'un carnet de santé à jour et vous pourrez même tout savoir de l'origine et de l'histoire de la lignée. En optant pour un chat de race, assurez-vous de l'absence de maladies héréditaires ou virales au sein de la lignée. Les chats d'exposition sont rarement proposés à la vente, ou alors à des prix bien peu raisonnables ; l'éleveur pourra cependant vous proposer des chatons écartés de la reproduction ou de la présentation en exposition mais susceptibles de devenir de parfaits chats de compagnie.

Avant d'acquérir un chat, prêtez attention à tout signe suspect. L'animal ne doit être ni trop gros ni trop maigre, le poil doit être brillant, les yeux et les oreilles propres. Un chaton peut présenter un petit ventre ballonné mais, trop distendu, ce dernier peut être symptomatique de maladie. Dans une portée, choisissez le chaton qui vous paraît le plus vif et le plus curieux. Un chaton craintif ou qui reste en retrait peut être malade ou affecté par un quelconque problème.

Si rien ne vous permet d'en apprendre plus sur l'origine de votre futur compagnon, emmenez-le chez le vétérinaire afin qu'il procède à un contrôle de l'animal et à toutes les vaccinations nécessaires. Faites stériliser votre chat dès que possible afin de ne pas multiplier le nombre d'animaux non désirés et abandonnés à leur sort. Pensez également à l'identification du chat. Un collier avec un cartouche portant votre nom et adresse ne suffit pas, un tatouage ou une puce insérée sous la peau restent les meilleurs moyens d'identifier à coup sûr votre compagnon.

Équipement

L'élevage d'un chat fait appel à un équipement relativement limité. Chaque chat de la maison doit disposer d'une écuelle individuelle pour la nourriture, seule l'écuelle d'eau peut être partagée. Ces récipients doivent être assez bas mais à bords relevés, pour que le chat puisse s'alimenter et s'abreuver facilement et confortablement. Préférez des écuelles en métal ou en céramique, suffisamment grandes et assez lourdes pour ne pas se renverser, ce qui arrive parfois avec des

récipients en plastique trop légers. Si vous devez vous absenter plusieurs jours, optez pour un distributeur automatique qui délivrera chaque jour la quantité de nourriture nécessaire à votre chat ; un accessoire bien pratique pour tempérer l'appétit des chats voraces qui auraient tendance à vider leur écuelle dès le premier jour. Si vous vivez dans un duplex ou une maison disposant d'un étage, placez un récipient d'eau à chaque étage ; inutile de prévoir un bol d'eau pour chaque chat.

En matière de litière, on distingue les simples bacs des toilettes à porte battante, certaines même dotées d'un nettoyage semi-automatique permettant de récupérer la litière sale. Les bacs les plus simples sont aussi les plus économiques, mais les modèles plus sophistiqués et plus onéreux disposent d'options parfois intéressantes. Ainsi, les toilettes fermées possédant un toit intégrant des filtres à charbon qui neutralisent les odeurs résiduelles. Un petit plus qui n'empêche pas de nettoyer le bac à litière régulièrement, au risque de voir le chat refuser d'y entrer. Quel que soit le modèle, la litière sera installée dans un endroit discret. Enfin, il faut savoir que le mécanisme incorporé de nettoyage semi-automatique a parfois tendance à déranger le chat. Trouvez le modèle que le chat appréciera et n'oubliez pas de le nettoyer régulièrement afin de ne pas heurter l'odorat délicat de votre petit félin.

Un chat doit avoir un endroit où dormir ; en règle générale, il le choisira seul. Rien ne vous empêche d'acheter une corbeille ou un coussin adaptés, mais il se peut fort bien que le félin n'y prête pas la moindre attention ! Quoi qu'il en soit, optez toujours pour un tissu lavable. Un panier de transport est toujours utile, ne serait-ce que pour emmener le chat chez le vétérinaire. Laissez le panier en vue, installez un coussin confortable à l'intérieur ainsi qu'un jouet pour que l'animal s'habitue à son panier. Toutes sortes de modèles sont disponibles sur le marché ; préférez un panier de transport facile à nettoyer et sûr pour le chat.

Pour le toilettage des chats à robe courte, préférez un peigne démêloir ou une étrille et une brosse souple en caoutchouc. Pour les chats à robe longue, optez pour un peigne et une étrille, une brosse carde métal fine et une paire de ciseaux à bouts arrondis pour couper les nœuds de poil.

Enfin, un griffoir permettra à votre chat de se défouler sans abîmer vos meubles.

Page ci-contre : outils de toilettage. De haut en bas : brosse souple, brosse carde métal fine, peigne démêloir et étrille.

COMPRENDRE SON CHAT

La plupart des attitudes adoptées par les chats peuvent s'expliquer en observant leur comportement dans la nature, même si certains font parfois preuve d'originalité. Comme les humains, les chats possèdent leur propre caractère et réagissent chacun de façon légèrement différente. Tous les chats restent cependant des prédateurs qui cherchent à s'accoupler, s'occupent de leur progéniture et chassent pour la nourrir.

Comportement

Avant d'être un chasseur accompli, un chat apprend à chasser auprès d'un autre chat, en règle générale auprès de sa mère lorsqu'il est encore jeune. Si cet apprentissage n'a pas été fait correctement dès son plus jeune âge, le chat adulte se révélera un piètre chasseur, même si cet instinct reste enfoui au plus profond de lui. Les chatons qui s'amusent à mordiller, à poursuivre, à donner des coups de patte ou à bondir sur des jouets inanimés miment en réalité les comportements adoptés par le félin à la chasse. Il arrive parfois que le chat se saisisse d'un oiseau ou d'une souris et commence à jouer avec sa proie, en lui donnant des coups de patte, en la laissant s'échapper avant de la reprendre… Ce comportement apparemment cruel est induit par l'instinct de chasseur du chat. Bien nourri, il n'a pas besoin de tuer sa proie et de la manger.

Lorsque le chat gratte un meuble, il ne s'agit pas seulement pour lui d'affûter ses griffes. Dans la nature, ces marques de griffures stratégiquement exposées servent à délimiter son territoire. Pour jouer son rôle, un griffoir mis à la disposition d'un chat domestique devra être installé dans un endroit bien visible de la maison.

L'instinct de reproduction chez le chat peut engendrer bien des problèmes, en plus de la naissance de chatons non désirés. Les mâles qui ne sont pas castrés projettent des jets d'urine pour marquer leur territoire, y compris à l'intérieur de la maison ; l'odeur dégagée se révèle alors extrêmement difficile à neutraliser. De même, les chats habitués à vivre en appartement auront tendance à fuguer, à la recherche d'une femelle. Dans la nature, ces mêmes chats affronteront d'autres mâles défen-

Ci-dessus : un chaton joue avec tout ce qu'il trouve, un chat adulte préfère les jouets plus interactifs.

dant leur territoire et ces bagarres se solderont souvent par des blessures, souvent sources d'infections. Les mâles castrés dès l'âge de 8 mois ne manifesteront pas ce type de comportement. Chez les femelles, ce type de manifestation apparaît seulement en période de chaleur et se traduit par des jets d'urine et des miaulements intempestifs et bruyants, ou encore à travers une façon frénétique de se frotter contre les meubles. Comme chez le mâle, la stérilisation doit être réalisée vers l'âge de 8 mois. Un chat a également pour habitude de se frotter contre les jambes de son maître ; ce comportement, souvent interprété comme un signe d'affection, correspond en réalité à un marquage « d'appartenance ». Lorsque le chat frotte sa tête contre la vôtre, lèche votre visage ou vos mains, s'enroule autour de vos jambes ou courbe sa queue pour vous caresser, il vous marque de son odeur, produite par des glandes situées au niveau de la tête, du cou, de la croupe et à la base de la queue.

Ci-dessus : un chat peut être dressé, par exemple à ne pas sauter sur certains meubles. Dans ce cas, veillez à toujours lui offrir une alternative.

Si la notion de territoire est importante pour le chat, ce félin n'est pas pour autant un chasseur solitaire fuyant la compagnie de ses congénères. Lorsque la nourriture est laissée en abondance, les chats adultes cohabitent sans heurts, y compris ceux qui n'affichent aucun lien de parenté. Les femelles et les chatons sont encore moins territoriaux et noueront des liens étroits, notamment s'ils sont déjà apparentés. La cohabitation de plusieurs chats adultes au sein d'un même foyer exige que chaque individu dispose de son espace, même si cette exclusivité se réduit à quelques moments précis de la journée. Sous leur apparente indépendance, les chats font preuve d'une sensibilité certaine. Lorsque l'un d'eux disparaît au sein du foyer, l'autre manifeste son désarroi à travers certains signes, en se nourrissant moins par exemple ou en exigeant un peu plus d'affection de la part de son maître. Une socialisation précoce aide les chats à apprécier le contact des hommes. Le comportement de la mère vis-à-vis des humains influera sur le comportement futur de ses chatons. Le chaton doit être mis en présence des hommes dès l'âge de 7 semaines et aucun chaton ne devra être manipulé avant l'âge de 2 semaines. Plus le chaton aura de contacts durant cette période, plus il fera preuve d'assurance et de sociabilité en grandissant. Si le contact ne s'établit qu'avec une seule personne, cette dernière risque de rester le seul lien que le chat adulte acceptera.

Les chats procèdent régulièrement à un toilettage minutieux de leur robe afin d'éliminer le poil mort mais aussi pour étaler une substance huileuse sécrétée par la peau qui les aide à imperméabiliser leur fourrure. Par temps chaud, le chat lèche régulièrement son poil pour étaler sur sa robe une fine couche de salive qui aide à maintenir la fraîcheur du corps. Un chat passe aussi beaucoup de temps à dormir, environ près de huit heures par jour.

Éducation

Un chat ne se dresse pas comme un chien, mais on peut l'encourager à certaines choses et le dissuader d'en faire d'autres. Cette éducation doit être amorcée dès le plus jeune âge du chat, sachant que les adultes ont bien du mal à intégrer de nouveaux apprentissages. Les chiens, qui vivaient autrefois en meutes hiérarchisées, acceptent sans mal d'être dominés par leur maître et adoptent même instinctivement une attitude de soumission vis-à-vis de ce dernier. Les chats, plus indépendants de nature, ne cherchent pas à plaire à leur maître. Ils appréhenderont récompenses et punitions comme ils le feraient dans la nature en faisant l'expérience de choses agréables ou désagréables. Vous pouvez apprendre à un chat à aller dans un bac à litière, à s'asseoir sur commande ou à miauler en réponse à l'appel de son nom si vous utilisez la nourriture comme récompense. Une punition directe aura pour conséquence de vous associer à quelque chose de désagréable et ne participera pas à améliorer vos relations avec l'animal. D'autres méthodes peuvent se révéler plus efficaces, comme asperger le chat avec un pistolet à eau dès qu'il se comporte de façon répréhensible. Enfin, pour l'empêcher de sauter sur un plan de travail ou de lacérer le canapé, recouvrez provisoirement les surfaces d'une feuille plastique ou d'adhésif double face et pensez à installer un griffoir ou un arbre à chat pour l'aider à changer de comportement.

MAINTENIR SON CHAT EN FORME

S'OCCUPER DE SON CHAT

Vous pouvez faire mille et une choses pour maintenir votre chat en pleine forme, en le protégeant des maladies infectieuses et des risques d'accident, en veillant à ce qu'il bénéficie d'un régime équilibré ou encore en réagissant sans attendre aux premiers symptômes de la maladie. Certains chats exigent plus que d'autres une attention particulière, notamment les jeunes chatons ou les sujets âgés.

Chats d'intérieur et d'extérieur

Dans la nature les chats passent le plus clair de leur temps dehors et de nombreux propriétaires – en particulier ceux de chats sans pedigree – estiment tout naturel de laisser sortir leurs animaux domestiques. La nature offre aux chats la possibilité de roder et de chasser, de s'oxygéner et de découvrir différentes odeurs excitantes, mais aussi de jouer ou encore de s'accoupler. Mais la vie à l'extérieur est aussi source de problèmes. L'ancêtre du chat vivait dans les grands espaces africains loin de l'environnement urbain dans lequel évoluent aujourd'hui la plupart de nos petits félins domestiques. À l'extérieur, le chat est menacé par la circulation, par différents animaux et exposé à bien d'autres dangers, comme l'eau ou les plantes toxiques. Un jardin a priori bien clôturé ne suffit pas à assurer une protection efficace, notamment si le chat n'est pas stérilisé ; d'autres animaux peuvent y pénétrer pour attaquer le chat ou lui transmettre puces et maladies infectieuses. Le chat lui-même peut représenter un danger pour la faune locale, notamment pour d'éventuelles espèces protégées, comme certains oiseaux par exemple.

Le chat étant un animal doué d'une étonnante adaptabilité, il acceptera sans mal de vivre en appartement, y trouvant même parfois une certaine quiétude, voire un véritable bonheur. Pour quelques-uns, comme le sphynx à peau nue ou les chats ayant fait l'objet d'une ablation des griffes, la vie en appartement est une nécessité. Le sphynx et d'autres races à peau nue, sensibles à la chaleur et au froid, doivent être maintenu à l'abri et au chaud. Les chats dépourvus de griffes sont quant à eux incapables de grimper aux arbres et donc de se défendre ou d'échapper à un quelconque prédateur. Pour être heureux, un chat d'intérieur doit être stimulé et incité à jouer. Les jouets animés peuvent se substituer à une proie et un simple carton retourné suffit parfois à titiller la curiosité naturelle du chat. Pour satisfaire son désir de grimper, installez un petit coin douillet au sommet d'un vieux meuble. Placez le bac à litière dans un endroit discret mais accessible et veillez à le nettoyer régulièrement. Le chat adore mâchouiller de l'herbe fraîche pour l'apport en fibre qu'elle lui procure mais aussi pour faciliter sa digestion ; un chat d'intérieur aura tendance à faire de même avec vos plantes d'appartement, même si certaines peuvent se révéler toxiques pour lui. Sachez identifier toutes vos plantes et installez éventuellement un pot planté d'herbe ordinaire, d'herbe à chat ou de Chlorophytum chevelu.

Nourriture

Les animaux ne peuvent s'épanouir sans un régime alimentaire équilibré, mais les besoins du chat en la matière se révèlent encore plus délicats à satisfaire. Le chat est un carnivore qui doit donc consommer de la viande – certains des acides aminés et des graisses indispensables à son métabolisme ne sont présents que dans la viande et toute déficience à ce niveau peut entraîner de sérieux problèmes de santé, comme une cécité ou des troubles cardiaques. Un chat doit aussi absorber un taux élevé de protéines, même si un excès de nourriture peut conduire au développement de cer-

Ci-dessus : variez l'alimentation du chat pour ne pas le rendre dépendant d'un seul type de nourriture. Page ci-contre : un chat obèse suivra un régime alimentaire adapté pour perdre ses kilos superflus.

taines pathologies. Le meilleur moyen de s'assurer que votre chat bénéficie de toutes les vitamines et minéraux essentiels à son équilibre consiste à le nourrir avec des produits de qualité. D'un point de vue nutritionnel, il n'existe aucune différence entre aliments humides et aliments secs ; ces derniers, plus inodores, pourront être laissés dans l'écuelle du chat toute la journée, à condition de la vider et de la nettoyer régulièrement. Les chats nourris avec des aliments secs sont moins sensibles aux problèmes de tartre ; un effet lié à l'action abrasive des croquettes. Les aliments secs sont plus économiques que les aliments humides, mais ces derniers se révèlent plus appétents et plus digestes, notamment pour un chat malade, malgré ou sans appétit. Un chat d'intérieur exclusivement nourri d'aliments humides peut vite devenir obèse, surtout si l'animal a tendance à être vorace et manque d'exercice. Les boîtes d'aliments humides devront être conservées au réfrigérateur après ouverture et l'écuelle devra être rapidement vidée de tous les restes de nourriture. Les aliments semi-humides concilient les qualités des aliments secs et humides en matière de nutrition.

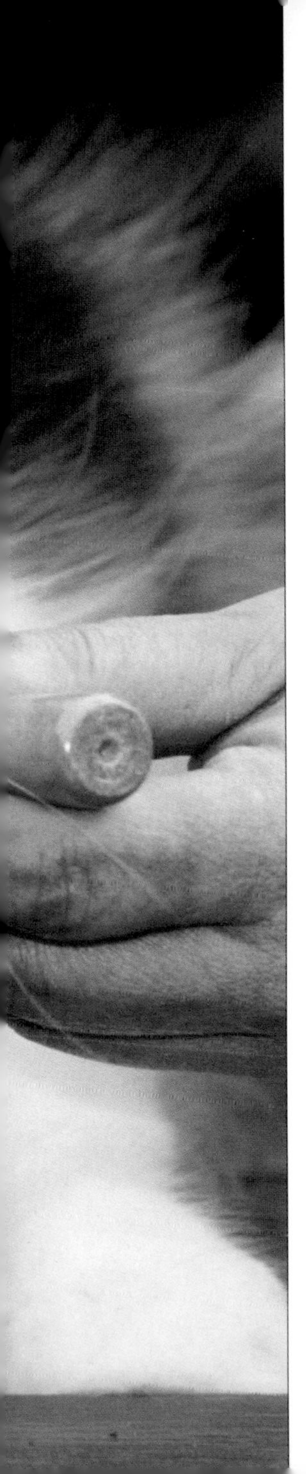

Quel que soit le type d'aliments choisi pour votre chat, veillez à varier sa nourriture. Le chat peut en effet devenir dépendant et présenter à la longue un déséquilibre alimentaire, source de problèmes de santé. En cas de rupture d'approvisionnement, le chat peut être perturbé par un changement brutal dans ses habitudes alimentaires. Si vous changez de marque d'aliment, habituez-le progressivement en mélangeant anciens et nouveaux aliments, tout en inversant progressivement les proportions. La fréquence des repas, heures fixes ou à libre disposition, dépendra du type de nourriture sélectionné. Les aliments humides en boîte ne restent pas frais très longtemps et devront être proposés à heures fixes. Les aliments semi-humides et secs peuvent être laissés à libre disposition et mieux vaut souvent donner de petites quantités en plusieurs fois, plutôt qu'un repas trop copieux en une fois. Un chat qui dispose de nourriture à volonté peut vite devenir obèse et vous aurez du mal à vous rendre compte au début que votre animal est suralimenté. La meilleure solution consiste à laisser chaque jour de la nourriture à libre disposition, mais sur une période de temps limitée.

Toilettage

Tous les chats apprécieront un toilettage régulier, une fois par semaine par exemple ; pour les chats à poil long, prévoyez un brossage quotidien. Ce moment de complicité, relaxant pour le maître et l'animal, permettra d'éliminer au peigne ou à la brosse les poils morts de la robe qui autrement sont absorbés par le chat et finissent par former des boules de poils dans les voies digestives.

Ci-contre : un chat à poil long doit être brossé ou peigné régulièrement. Si la robe présente des nœuds inextricables, confiez votre chat à un toiletteur professionnel.

Le brossage d'un chat ayant l'habitude de sortir sera l'occasion de vérifier régulièrement si l'animal est infesté par les puces. En cas de doute, utilisez un peigne à puces et vérifiez la présence ou non de petites écailles brunes entre les dents du peigne ; si ces débris proviennent bien de puces, ils formeront un halo rougeâtre lorsque vous les laisserez tomber sur un papier absorbant humide. Un brossage quotidien se révèle indispensable pour les chats à poil long. Si la fourrure présente trop de nœuds, emmenez le chat chez le toiletteur. Certaines races, comme le cornish rex, arborent une robe à texture particulière exigeant un toilettage adapté. Les races dépourvues de

Ci-dessus : les chatons ont tendance à jouer avec tout et n'importe quoi, notamment avec des câbles électriques, plus que dangereux s'ils les mordent.
Page ci-contre : un chaton curieux aura vite fait de pénétrer dans un lave-vaisselle laissé ouvert.

poil, comme le sphynx n'exigent aucun brossage ; le toilettage se limite à essuyer quotidiennement le fin duvet de la robe à l'aide d'une peau de chamois afin d'éliminer l'excédent de sécrétion huileuse.

Sécurité des chatons

Jouer avec son chaton participe à renforcer les liens qui vous unissent, mais ce dernier appréciera tout autant de s'amuser seul. Les jeunes chatons n'ont pas conscience du danger et peuvent facilement chuter, se heurter, se coincer ou renverser un objet lourd sur eux. Ne laissez jamais un chaton jouer avec un câble électrique ou mâchouiller un élastique, un ruban ou un fil à coudre susceptibles de provoquer une occlusion intestinale. Heureusement, avec l'âge, les chats ont moins tendance à jouer et à mordiller tout ce qui se trouve à leur portée.

PROBLÈMES DE SANTÉ

La population féline peut souffrir de différentes affections. Certaines races sont exposées au risque de maladies héréditaires et il convient de s'assurer de la bonne santé du chat ou du chaton auprès de l'éleveur. Les coupures et égratignures mineures dont sont victimes les chats vivant à l'extérieur cicatrisent souvent d'elles-mêmes ; une surveillance reste cependant conseillée et le chat devra être maintenu enfermé, jusqu'à cicatrisation des plaies. Ce chapitre passe en revue quelques-unes des affections mineures les plus courantes ainsi que certaines maladies plus sérieuses. Parmi les signes susceptibles de vous alarmer on retiendra une léthargie inexpliquée, un changement d'appétit, une modification des habitudes de toilettage, une perte de poids, un changement de comportement ou encore une modification du rythme d'utilisation du bac à litière.

Affections mineures

Un problème oculaire se manifeste par une rougeur de la zone entourant l'œil, un toilettage exagéré, un larmoiement excessif, l'apparition d'une troisième paupière en travers de l'œil, une opacification ou un changement de couleur de l'œil. Les causes de ces affections peuvent être d'origine virale, liées à une infection bactérienne, une blessure, une allergie ou un problème d'ordre congénital entraînant une sécrétion anormale de l'œil. Les affections oculaires se développent rapidement et le vétérinaire peut prescrire l'administration de gouttes antibiotiques ou antivirales.

Un problème auriculaire se manifeste par un grattage excessif ou un secouement intempestif de la tête. Les otodectes ou « mites des oreilles » sont souvent à l'origine de l'affection. Votre vétérinaire commencera par nettoyer l'oreille du chat et vous indiquera comment procéder par la suite. Les otodectes peuvent gagner la peau du chat causant rougeurs et irritations qui devront faire l'objet d'un traitement.

Les affections de la peau se manifestent par des rougeurs et des irritations, la présence de croûtes, une perte de poil et une production anormale de pellicules.

Page ci-contre : le traitement des otodectes passe par un nettoyage de l'oreille et l'administration de gouttes auriculaires.

BN 139 FEB 00

Diverses causes peuvent être à l'origine du problème, comme les parasites, une infection, une allergie liée à la nourriture ou à l'environnement, ou les vers. Le vétérinaire a parfois du mal à établir un diagnostic sachant que ces symptômes peuvent être rattachés à différentes causes et souvent différents d'un chat à l'autre. Le traitement des puces reste le plus simple à mettre en place, mais une infestation massive peut entraîner une anémie et les puces sont souvent porteuses d'autres maladies.

La mauvaise haleine est généralement liée à une infection des gencives ou d'origine virale. Vérifiez régulièrement l'état de la dentition de votre chat afin de détecter la présence de tartre. Un vomissement occasionnel est souvent lié à la régurgitation d'une boule de poil, à la mauvaise digestion d'un aliment ou à la régurgitation d'herbe. Des vomissements importants et répétés indiquent un problème plus sérieux et nécessitent une visite chez le vétérinaire. Une alimentation inadaptée peut entraîner diarrhée ou constipation ; un simple changement de marque d'aliment suffit parfois à déséquilibrer le métabolisme digestif du chat.

Ci-dessous : la vermifugation régulière du chat permet de le débarrasser des parasites intestinaux.

Éternuement et toux peuvent traduire une allergie ou la présence d'un petit brin d'herbe dans le nez. Ces symptômes signalent quelquefois une affection plus sérieuse. Si l'animal ne présente aucun trouble associé, contentez-vous de surveiller l'évolution de cette manifestation. Des difficultés respiratoires indiquent une infection ou un asthme, susceptibles de mettre en danger la vie de l'animal.

Un des problèmes les plus courants, ne présentant souvent aucune manifestation extérieure, reste celui des parasites intestinaux communément désignés sous le terme de « vers ». On distingue ainsi les ascaris, les ankylostomes, le ténia, les coccidies, le parasite responsable de la giardiase et de la toxoplasmose. Certains de ces parasites ne sont détectés que dans les selles ou les vomissures. Examen et tests réguliers restent la seule façon fiable d'établir si le chat est infesté ou non. Le traitement se révèle indispensable pour éviter la transmission de ces parasites à l'homme. La toxoplasmose est dangereuse pour une femme enceinte et les ascaris peuvent entraîner une cécité chez les très jeunes enfants.

La plupart des chats souffrent à un moment donné de leur vie d'une infection des voies urinaires. Parmi les manifestations, on note une envie fréquente d'uriner, la présence de sang dans les urines ou un léchage des parties génitales, souvent afin de soulager la douleur. La possibilité pour le chat de boire suffisamment d'eau aide à prévenir ce type d'infection, mais la cause réelle du problème reste largement méconnue. Un chat non traité finira par se rétablir spontanément, parfois au bout de plusieurs semaines seulement.

Les chats obèses souffrent souvent de pathologies cardiaques ou de diabète ; des problèmes souvent stabilisés à l'aide d'une médication adaptée. Certaines races, comme le siamois, sont prédisposées aux affections cardiaques congénitales.

Maladies graves

Les chats peuvent être victimes de diverses affections d'origine virale. Le virus FeLV ou virus leucémogène félin se transmet d'un chat à l'autre par la salive. La leucose féline peut entraîner un cancer, détruire le système immunitaire et déclencher l'apparition d'une maladie opportuniste ou d'autres problèmes, comme une anémie sévère. De toutes les maladies virales, la leucose reste celle qui entraîne le plus fort taux de mortalité au sein de la population féline. Un vaccin est proposé pour tous les chats à risque, bien qu'il ne soit pas efficace à 100 %, et aucun traitement n'est à ce jour disponible. Les chats d'intérieur sont moins exposés que les autres.

Ci-dessus : à l'extérieur les chats sont confrontés à de multiples dangers, comme la circulation automobile. Page ci-contre : un chat acceptera plus volontiers d'être enfermé dans une caisse de transport si cette dernière est confortable et sûre.

Les chats peuvent aussi être atteints par le virus de l'immunodéficience féline (FIV) présentant des analogies avec le virus HIV humain. Un animal infecté ne présente aucun symptôme apparent au début de la maladie. La dégradation progressive du système immunitaire entraîne l'apparition de maladies opportunistes qui conduisent l'animal à la mort. Aucun traitement efficace est à ce jour disponible et les chats sains devront être tenus à l'écart des animaux infectés.

La péritonite infectieuse féline (PIF), assez rare chez les chats domestiques, se développe souvent suite à une infection virale. La maladie peut se manifester là où se rencontre une importante population féline, comme dans les chatteries par exemple. Avant d'acheter un chat, veillez à ce que l'animal ait subi un test de dépistage ou soit vacciné. Aucun traitement efficace n'est à ce jour disponible.

La panleucopénie féline ou typhus du chat est une autre maladie virale contagieuse et mortelle. Cette affection, assez rare depuis la vaccination, se rencontre parfois dans les élevages. Les chats adultes peuvent ne présenter aucun symptôme apparent, mais les chatons souffrent de lésions nerveuses irréparables.

La rage peut affecter les chats comme les chiens. La vaccination est toujours conseillée, voire obligatoire dans certains pays.

Les chats comme les hommes peuvent être victimes de cancers entraînant une multiplication anarchique de cellules que le système immunitaire ne parvient plus à contrôler. Le lymphosarcome affectant les ganglions lymphatiques est le cancer félin le plus fréquent. Cette forme de cancer dérive d'une infection par le virus FeLV. Pour limiter les risques de maladie, évitez si possible le contact du chat avec ses semblables.

Parmi les autres formes de cancers, on retiendra le cancer de la peau, de la bouche ou des os.

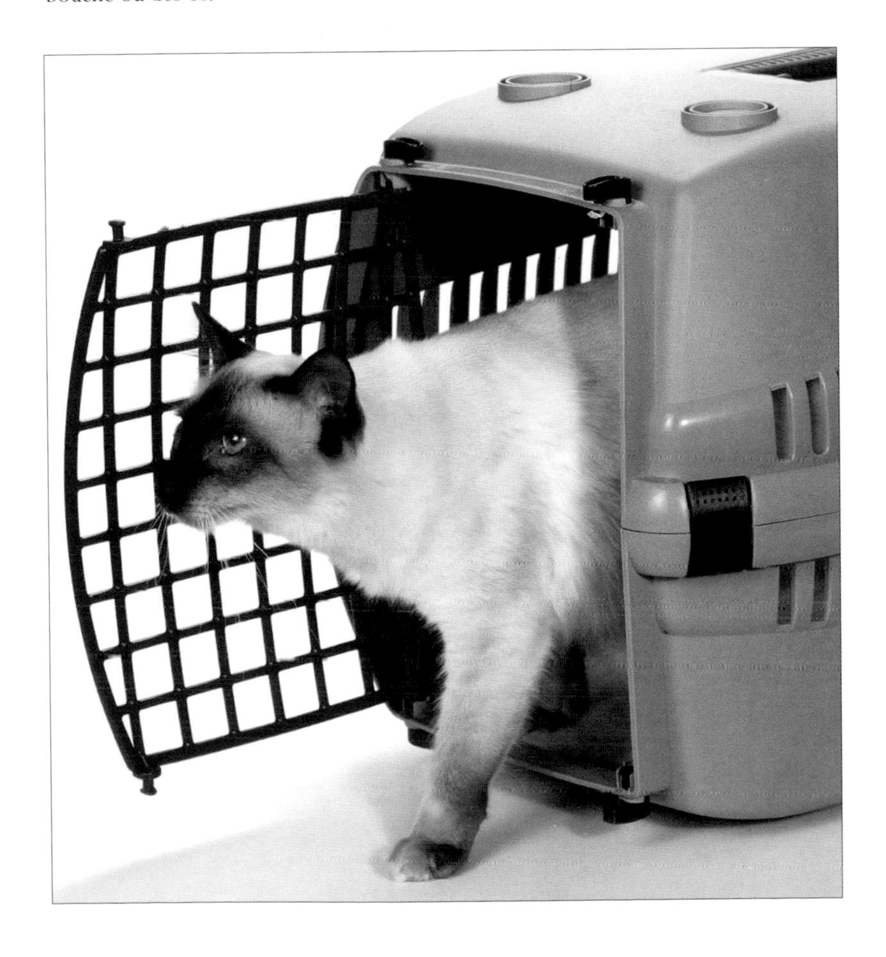

Ci-dessus : un chat malade doit être maintenu au chaud et suffisamment abreuvé.

S'occuper d'un chat malade

Un chat trop affecté par une maladie est souvent soigné et gardé en observation chez le vétérinaire, mais un traitement peut s'imposer après le retour de l'animal à la maison. Les chats ont tendance à se cacher lorsqu'ils sont malades et refusent de se laisser approcher. Pour la convalescence, prévoyez un endroit chaud où l'animal puisse se reposer, sans oublier de placer eau et nourriture à disposition. Proposez au chat un aliment digeste ou une gourmandise qui stimulera son appétit. Si l'animal ne boit pas et risque la déshydratation, réhydratez-le progressivement à l'aide d'une seringue. Éventuellement, réchauffez légèrement l'eau et la nourriture.

Si le chat doit prendre des médicaments, suivez les conseils du vétérinaire. Un chat n'avalera jamais un comprimé entier placé dans sa nourriture, pas plus qu'il n'ingurgitera un aliment auquel vous aurez incorporé un comprimé réduit en poudre. La meilleure façon pour l'obliger à avaler un comprimé, consiste à placer ce dernier au fond de la gorge de l'animal. Réchauffez un flacon de gouttes oculaires ou auriculaires entre vos mains avant d'instiller le produit. Maintenez délicatement la tête du chat et agissez vite, sans hésitation. Un chat difficile à soigner peut être enveloppé dans une serviette, avec la tête qui dépasse, puis maintenu près de vous le temps des soins. L'animal incapable de bouger peut néanmoins manifester son angoisse en essayant de mordre.

Premiers soins

Si votre chat se blesse, essayez de le calmer et commencez par refermer toutes les issues possibles sachant que l'instinct poussera l'animal à s'enfuir. Approchez calmement le chat, couvrez-lui la tête d'une serviette en évitant les mouvements brusques, pour ne pas vous faire mordre. Inspectez les blessures visibles et tentez si possible d'arrêter le saignement en exerçant une pression à l'endroit de la plaie.

Vérifiez que le chat respire encore, dans le cas contraire, assurez-vous que les voies respiratoires ne sont pas obstruées en tirant la langue vers l'avant et en inspectant la gorge. Éventuellement, donnez un coup sec sur la poitrine. La respiration artificielle peut être pratiquée en maintenant la tête du chat en arrière et en insufflant de l'air délicatement dans les narines toutes les trois secondes. Si le cœur s'est arrêté de battre, pratiquez un massage cardiaque en comprimant la poitrine entre le pouce et l'index. Si le rythme cardiaque ne se rétablit pas après 20 minutes le chat n'aura plus aucune chance d'être réanimé. Si le chat parvient à respirer seul, maintenez-le au chaud et au calme, le temps de contacter le vétérinaire. Installez délicatement le chat dans une caisse ou un panier de transport, en évitant de trop le manipuler en cas de blessure au niveau de la colonne vertébrale. Si le chat présente une fracture évidente de la patte, n'essayez pas d'intervenir seul. Nettoyez si possible la zone et couvrez la fracture d'un linge propre, le temps d'emmener le chat chez le vétérinaire. Une plaie peut être temporairement couverte d'un linge. Un chat sans blessure apparente peut souffrir d'un choc se manifestant par une pâleur des gencives, un pouls faible et rapide, une respiration saccadée, une froideur de la peau et des pattes. Maintenez l'animal au chaud et conduisez-le sans tarder chez le vétérinaire.

Chats âgés

Un chat bien soigné peut vivre jusqu'à 20 ans, mais comparé à un chaton, un chat âgé nécessite une attention plus soutenue. En vieillissant, le chat change souvent de comportement et ces changements traduisent souvent un problème de santé. Un chat qui avait pour habitude d'être calme peut devenir agressif sous l'effet de douleurs, parce qu'il entend ou voit moins bien, donc se sent angoissé vulnérable. Un chat âgé doit être suivi par un vétérinaire qui sera à même de détecter un problème avant que celui-ci n'empire. Veillez à ce que l'animal mange et boive suffisamment ; les chats âgés sensibles aux calculs rénaux ont en effet besoin de s'hydrater beaucoup plus que les jeunes chats. Si votre chat présente des signes évidents de souffrance, il vous faudra envisager l'euthanasie. Si la perte d'un compagnon reste toujours une épreuve douloureuse, un maître aimant s'y résignera plutôt que de voir souffrir son chat.

Ci-contre : un chat âgé doit bénéficier d'un suivi vétérinaire annuel afin de détecter au plus tôt le moindre problème de santé.

GESTATION ET CHATONS

En règle générale, mieux vaut éviter que les chats domestiques se reproduisent sachant que la population féline compte déjà bien trop de chats abandonnés. Si vous constatez que votre chatte attend des petits, assurez-vous que la future mère dispose d'une alimentation plus riche – elle commencera à manger un peu plus dès le début de la gestation. De même, veillez à ce qu'elle puisse facilement et suffisamment s'hydrater, notamment vers la fin de la gestation. Deux semaines environ avant la mise bas, maintenez la chatte à l'intérieur afin qu'elle ne cherche pas une cachette à l'extérieur où donner naissance à ses chatons. Installez une caisse confortable dans un endroit chaud et discret. La caisse doit être assez grande pour que la chatte puisse s'y étirer et s'y mouvoir sans mal, mais pas trop afin que les chatons ne puissent pas s'en échapper. À l'approche de la mise bas, la chatte aura tendance à aller et venir dans la caisse et à réarranger sans cesse sa couche. Le temps est

Page ci-contre : une chatte pleine devra bénéficier d'un régime alimentaire enrichi en vitamines et minéraux.
Ci-dessus : plusieurs mâles peuvent s'accoupler avec une même femelle et les chatons d'une portée peuvent ainsi avoir plusieurs pères.

alors venu de la maintenir dans la pièce où se trouve la caisse, en veillant à ce qu'elle ait accès à l'eau, à la nourriture et au bac à litière. Les chatons naissent l'un après l'autre, avec des intervalles parfois assez longs entre chaque naissance. Si la mère est perturbée par la présence de l'homme, elle pourra retarder jusqu'au jour suivant la naissance des autres chatons. La chatte mâchouille le placenta et parfois même le mange, tout en procédant à un léchage minutieux des chatons. On compte une moyenne de cinq chatons par portée.

Aucune intervention humaine ne doit perturber la mise bas, à moins qu'aucune naissance ne soit constatée après une heure de contractions, qu'un chaton ne soit pas complètement expulsé, que la chatte montre une certaine léthargie ou paraisse

Ci-dessus : chaton d'un jour. Les chatons sont aveugles à la naissance mais ouvrent les yeux au bout d'une semaine.

malade après la mise bas. Un chaton ignoré par la mère ou apparemment mort-né peut présenter une anomalie. Prenez-le délicatement et déposez-le dans un linge chaud, retirez la membrane placentaire. Si nécessaire, dénouez le cordon ombilical en vous aidant d'un coton propre avant de le sectionner à environ 1 cm du corps du chaton. Si ce dernier ne respire pas, nettoyez la bouche à l'aide d'un coton stérile et essayez d'évacuer les fluides des poumons en plaçant le chaton au creux de votre paume avant d'effectuer un mouvement de balancier durant quelques minutes. Massez délicatement le corps pour stimuler la respiration. Si vous parvenez à réanimer le chaton, vérifiez que la mère soit prête à l'accepter – dans le cas contraire, essayer de le faire téter et de l'élever seul, au risque qu'il ne survive pas.

Quelques jours après la mise bas, la mère déplace ses chatons afin que les odeurs présentes sur le lieu de naissance n'attirent pas les prédateurs. Une chatte qui

Ci-dessus : chaton de cinq semaines. Un chaton ne doit pas être trop manipulé avant l'âge d'un mois, mais doit être habitué au contact de l'homme avant huit semaines.

allaite ses petits durant les trois premiers mois de leur vie doit avoir à disposition suffisamment d'eau et de nourriture. Après trois mois, les chatons sevrés seront nourris avec des aliments spécialement formulés.

Chatons

Les nouveau-nés pèsent environ 100 g, mais doublent de volume en l'espace d'une semaine. Les tétées ont lieu en moyenne trois fois par heure et la mère pour assurer un tel rythme doit bénéficier d'une nourriture enrichie. Si la chatte ne dispose pas de suffisamment de lait pour tous ses chatons, ces derniers miauleront sans cesse et chercheront à téter en s'accrochant aux mamelles de leur mère. Leur régime devra être complété par un lait maternisé spécialement formulé, au risque de les voir s'affaiblir et se déshydrater. Le lait de la chatte est plus riche en graisse et protéines que le lait de vache, de chèvre ou le lait maternisé pour bébé. À 21 jours, les chatons ont considérablement grossi et les mâles se développent encore plus vite que les femelles. Les chatons continuent de téter jusqu'à l'âge de six semaines, même s'ils sont prêts à manger de la nourriture solide dès l'âge de trois semaines. Le sevrage est terminé à l'âge de huit semaines. Dans la nature, les chattes rapportent des proies à leurs petits, en commençant par déchirer la viande puis en laissant par la suite les chatons se débrouiller seuls. Enfin, la chatte rapporte des proies vivantes que les chatons s'entraînent à poursuivre et à tuer eux-mêmes.

Les chatons sont aveugles et sourds à la naissance, mais aussi incapables de réguler leur température corporelle. La pièce qui les abrite doit donc être maintenue entre 32 et 34 °C. En l'espace de quelques jours un chaton est capable de localiser sa mère, en une semaine d'identifier l'odeur de la tanière et d'y retourner lorsqu'il s'en éloigne. En l'espace de deux semaines, il commence à ouvrir les yeux et à entendre. Au bout de trois semaines les chatons se tiennent debout, sont capables de voir et de répondre. À sept semaines, ils gambadent autour de leur tanière. Appétit et prise de poids régulière témoignent d'une bonne santé et d'une évolution normale. Entre six et huit semaines, les chatons devront subir leur première visite chez le vétérinaire et leur première vaccination, avant de quitter leur mère pour gagner leur prochain foyer, vers l'âge de huit à neuf semaines. Les éleveurs de chats de race préfèrent attendre un peu plus longtemps avant de se séparer des chatons, afin de conserver de futurs champions d'exposition.

Ci-contre : chaton de neuf semaines. À cet âge, le chaton est sevré et a subi sa première vaccination.

La chatte lèche ses petits, non seulement pour les laver mais aussi pour stimuler l'expulsion d'urine et d'excréments. En trois semaines les chatons apprennent à contrôler leurs fonctions et sont à même d'utiliser un bac à litière. L'utilisation d'un endroit bien spécifique pour satisfaire ses besoins est liée à la propreté instinctive du chat, mais attention : un chaton peut confondre une litière constituée de granulés avec des croquettes.

Les chatons apprennent beaucoup de leur mère, à commencer par la chasse. Cette période de réceptivité à l'apprentissage est assez courte et les chatons destinés à passer leur vie au contact des humains devront être socialisés le plus tôt possible. La période critique se situe entre quatre et huit semaines – avant quatre semaines les petits ne doivent pas être trop manipulés, mais une socialisation à l'homme après huit semaines se révèle trop tardive. Si le chaton est destiné à vivre au sein d'une famille, il devra être habitué au contact des enfants pour développer plus tard un lien affectif avec ces derniers. Dans la nature, les mâles sont rejetés par la mère vers l'âge de six mois alors que les femelles restent plus longtemps et forment avec leur mère un groupe social plus soudé.

Ci-contre : les chattes transportent leurs petits en les maintenant par l'encolure, ce comportement entraîne une attitude réflexe qui pousse les chatons à se recroqueviller en repliant les pattes afin qu'elles ne soient pas blessées dans la manœuvre.

PROBLÈMES COMPORTEMENTAUX

Rares sont les chats à présenter de sérieux troubles d'ordre psychologique, même si certains affichent parfois un comportement naturel pour une race féline, mais que nous pouvons trouver agaçant ou déplaisant. Quelques-uns de ces problèmes peuvent facilement être corrigés en étudiant le comportement des chats dans la nature, afin de mettre en œuvre des stratégies susceptibles d'être appliquées au chat domestique.

Veillez à ne pas réprimander le chat en élevant la voix ou en pratiquant une punition physique – ce genre de comportement conduirait très vite le chat à vous assimiler à une source d'expérience déplaisante et finirait par gâcher la qualité de vos relations. La discipline doit être pratiquée de façon indirecte afin que cette expérience déplaisante soit perçue par l'animal comme une conséquence de ses propres actions, non liée à votre présence.

Refus d'utiliser le bac à litière

Les chats sont par nature très propres et ont pour habitude de ne pas souiller le sol de l'endroit où ils vivent. Un animal qui refuse d'utiliser sa litière et commence à faire ses besoins partout ailleurs a de bonnes raisons d'agir de la sorte. Il convient alors d'identifier le problème.

La litière dégage peut-être une odeur déplaisante faute d'avoir été nettoyée régulièrement ? Le chat refusera d'utiliser une litière sale. Le bac à litière est peut-être installé dans un endroit inapproprié ? Comme les humains, les chats préfèrent la discrétion et un bac à litière placé dans un endroit trop fréquenté ou trop ventilé devra être déplacé. Le type de litière utilisé ne convient peut-être pas au chat ? Changez alors de marque de litière, le temps de trouver celle qui fera l'affaire de votre compagnon. Les chats sont en effet très sensibles à l'odeur et à l'aspect de

Ci-contre : différentes causes peuvent expliquer que le chat refuse de fréquenter son bac à litière. Un bac à litière fermé assure davantage l'intimité recherchée.

Ci-dessus : achetez ou fabriquez un griffoir pour encourager votre chat à ne plus détériorer vos meubles.

leur litière ; le moindre changement à ce niveau, sans importance pour vous, peut révolutionner la vie de votre petit félin. Si un chat commence brutalement à ne plus fréquenter son bac à litière, assurez-vous qu'un problème de santé n'est pas à l'origine de ce changement de comportement. Si le chat souffre de cystite ou de constipation, il associera la douleur ressentie à son bac à litière et cherchera à se soulager ailleurs.

MARQUAGE DU TERRITOIRE

Marquage urinaire

Ne confondez pas problèmes de bac à litière et marquage urinaire. Lorsqu'un chat marque son territoire en urinant, il adopte une attitude particulière qui consiste à lever la queue pour projeter un jet d'urine sur une surface verticale. Ce marquage, à l'odeur difficile à dissiper, alerte les autres chats de sa présence sur un territoire donné. Un chat castré agit rarement de la sorte, ou seulement si la castration a été pratiquée après que ce comportement ait été adopté. Pour mettre un terme au marquage urinaire, essayez d'arroser le chat avec un pistolet à eau dès qu'il se met en position. Après quelques essais, le chat finira par associer l'expérience désagréable de l'eau froide avec cette attitude précise et cessera progressivement d'uriner de la sorte.

Griffade

Un chat a pour habitude de signaler sa présence à ses congénères en labourant avec ses griffes les troncs d'arbre, les meubles et en règle générale tout ce qui se trouve à sa portée au sein de son territoire. Ce comportement peut être corrigé de deux façons. La première consiste à installer un griffoir dans un endroit stratégique de la maison, bien en évidence. Le chat ne verrait en effet aucun intérêt à marquer de ses griffes un objet placé dans un endroit trop discret. La seconde solution consiste à se munir d'un pistolet à eau pour arroser le chat dès qu'il commence à vouloir griffer une surface. Éventuellement, faites tomber à chaque fois un objet qui émettra un bruit désagréable aux oreilles du chat. Avec un peu de patience, votre compagnon finira par associer son comportement à des conséquences désagréables.

Problèmes d'alimentation

Face à un chat qui refuse de s'alimenter, commencez par vous assurer qu'il ne souffre d'aucun problème de santé. Ce refus peut en effet être le signe précurseur de nombreuses maladies. Après avoir écarté cette hypothèse, cherchez toutes les raisons susceptibles d'expliquer ce comportement. L'écuelle du chat n'est peut-être pas placée à un endroit qui lui convient, calme, à l'abri des courants d'air et du passage. Le chat est peut-être dérangé lorsqu'il mange, par les enfants ou par un autre animal de compagnie. Si vous possédez plus d'un chat, chacun doit disposer de son écuelle. Vérifiez l'état de l'écuelle qui doit être nettoyée régulièrement. Les écuelles en plastique ont tendance à dégager une odeur déplaisante après un certain temps d'utilisation. Les chats sont en effet très sensibles aux odeurs et refuseront de manger dans une écuelle sale. Enfin, sachez que les chats comme les enfants se montrent parfois capricieux. Un chat peut aussi se priver sans dommage de nourriture pendant un certain temps, par exemple, jusqu'à ce que son maître cède et finisse par lui offrir une gourmandise. L'habitude sera alors très vite prise de refuser ses croquettes pour goûter à des aliments plus appétissants !

Agressivité

Les chats sont des prédateurs, nés pour chasser. Lorsque l'animal ne chasse pas, son agressivité naturelle doit trouver à s'exprimer d'une autre façon. Le chat peut ainsi avoir tendance à mordiller parfois les chevilles de son maître lorsque ce dernier passe à sa portée. Donnez à votre chat l'occasion de se défouler sur des jouets ou arrosez-le avec un pistolet à eau à chaque fois qu'il adopte un comportement agressif. Les chatons exerceront leurs talents de chasseurs en jouant, griffant et mordant tout ce qui se bouge. Corrigez cette attitude en évitant d'encourager le chaton à vous mordre les mains lorsque vous jouez avec lui. Une morsure de chaton reste inoffensive mais peut se transformer en une vilaine blessure lorsque le chat atteindra l'âge adulte. Certains chats peuvent donner de soudains coups de pattes lorsqu'ils sont brossés ou caressés. Il se peut que l'animal soit en colère ou que son instinct de mâle dominant resurgisse brutalement. Si ce comportement se reproduit trop souvent, limitez le temps de caresse de l'animal.

Sauter et grimper

Le chat a pour habitude de sauter et grimper. Pour corriger éviter que le chat saute ou grimpe sur des endroits défendus dans la maison, commencez à l'éduquer le plus tôt possible. Utilisez éventuellement un pistolet à eau, à chaque fois que l'animal cherche à sauter. Recouvrez provisoirement les surfaces interdites d'une feuille d'aluminium ou d'adhésif double face, collé sur des feuilles de papier ou de carton. Le chat trouvera le contact de ces matériaux désagréable et cherchera à aller voir ailleurs.

Page ci-contre : sauter et grimper sont des comportements naturels pour le chat. À vous de l'éduquer afin d'éviter le pire !

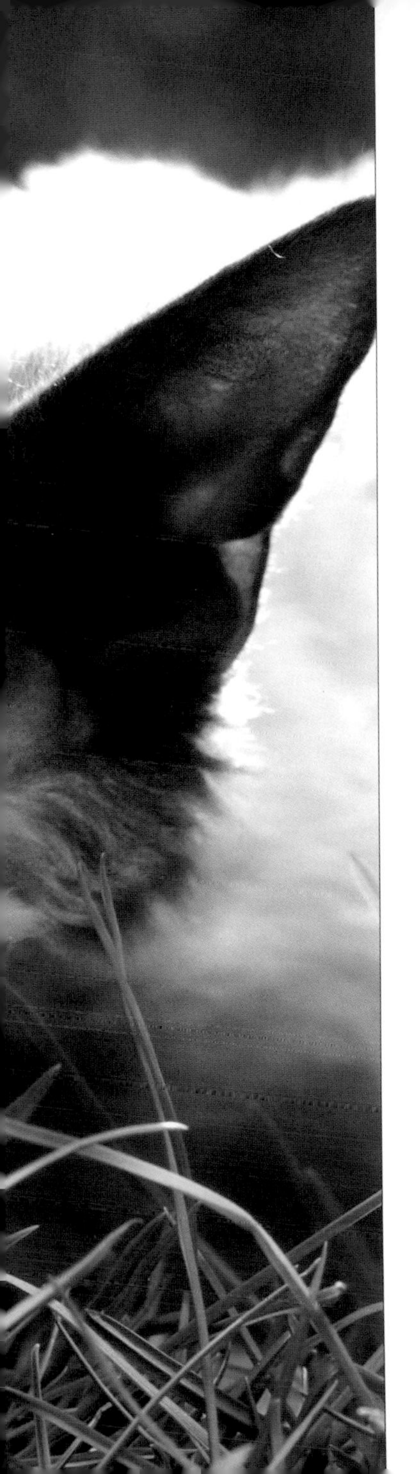

Une autre solution consiste à surprendre le chat en plaçant des « pièges » inoffensifs afin que votre félin finisse par associer l'endroit à une expérience désagréable. Installez par exemple une feuille de carton sur une étagère de façon à ce qu'elle tombe lorsque le chat y saute dessus ou placez une feuille d'aluminium qui émettra un bruit désagréable au contact du chat. Laissez toujours un endroit libre où votre petit félin pourra sauter et grimper à sa guise.

Plantes d'appartement

Les chats mangent souvent de l'herbe qui les aide à digérer et leur apporte des fibres nécessaires. Les chats d'intérieur auront quant à eux tendance à mâchouiller vos plantes d'appartement. Afin d'éviter une possible intoxication, installez dans la maison un pot planté d'herbe ordinaire ou d'herbe à chat. Déplacez vos plantes d'appartement dans un endroit moins accessible ou vaporisez-les d'un produit répulsif qui éloignera le chat.

Ci-contre : les chats apprécient la texture fibreuse de l'herbe qui les aide à digérer. Certaines plantes, comme le lierre (Hedera), *l'*Asparagus densiflorus, *le poinsettia* (Euphorbia pulcherrima) *ou certaines espèces de philodendrons sont toxiques pour le chat.*

GLOSSAIRE

Abricot : couleur de robe crème chaud avec un reflet métallique.

Admis : se dit d'un caractère que le standard admet, sans qu'il soit pour autant recherché dans l'élevage d'une race.

Affixe : dénomination qui s'ajoute au nom de l'animal et qui indique l'élevage d'où il provient.

Agouti : un poil agouti ou tiqueté présente sur sa longueur une alternance de bandes sombres et de bandes claires. Il se termine par une bande foncée.

Argentée : couleur résultant de la disparition dans les poils de tout ou partie de la mélanine jaune, qui laisse la place à une teinte blanche.

Arlequin : robe bicolore où le blanc est prédominant par rapport à la partie colorée, limitée à la tête et à la queue.

Bajoues : développement des joues chez les mâles non castrés, responsable d'un élargissement plus ou moins important de la tête.

Best : récompense attribuée en exposition en fonction de la conformité au standard.

Bicolore : robe blanche présentant des taches colorées au niveau de la tête, du dos et de la queue.

Bleu : couleur de robe gris-bleu sans nuance brune.

Bracelet : marques tabby formant des anneaux autour des pattes.

Bréchet : saillie de l'extrémité du sternum, fixe ou mobile.

Burmese, motif ou patron : robe dans laquelle la couleur est intense au niveau de la tête, des pattes et de la queue mais plus claire sur le reste du corps.

Calico : motif de robe blanche présentant de larges taches rouge et noire ou crème et bleu. Comme le motif écaille de tortue, le calico se rencontre presque exclusivement chez une femelle.

Castration : stérilisation d'un mâle par ablation des testicules.

Chat de gouttière : chat de maison ordinaire qui n'est pas de pure race.

Chat haret : chat descendant du chat domestique mais retourné à l'état sauvage.

Chatterie : établissement d'élevage de chats de race.

Chinchilla : variété de couleur dans laquelle seule l'extrémité du poil est pigmentée, le reste étant d'un blanc argenté.

Cobby : type morphologique bréviligne, à corps massif, court et puissant avec une ossature forte.

Collerette : poils plus longs autour du cou.

Collier : marques tabby formant des anneaux fermés ou ouverts autour du cou.

Colourpoint : robe présentant une coloration plus foncée des extrémités ou points, au niveau du masque, des oreilles, des pieds et de la queue. Le reste du corps est clair.

Consanguinité : mode de reproduction consistant à accoupler deux individus plus ou moins étroitement apparentés.

Couleur diluée : atténuation d'une couleur de robe, comme le bleu ou le crème, perçue lorsque la pigmentation est inégalement répartie sur toute la longueur du poil.

Couleur intense : richesse de couleur d'une robe solide ou self, perçue lorsque la pigmentation est uniforme sur toute la longueur du poil.

Creux : région située entre la cage thoracique et les cuisses.

Culotte : poils plus longs et denses à l'arrière des cuisses chez les chats à poil long ou mi-long.

Cunéiforme : se dit d'une tête caractérisée par des lignes droites, allant de la base externe des oreilles aux côtés du museau, sans discontinuité au niveau des moustaches.

Défaut : toute imperfection notable par rapport au standard de la race.

Double fourrure : sous-poil épais recouvert d'une couche de poils plus longs et épais.

Ebony : synonyme de noir chez l'oriental.

Écaille de tortue : couleur de robe formée d'une mosaïque de plaques de couleurs intenses, le plus souvent noir et rouge, ou de couleurs diluées bleu et crème.

Entier : qualifie un chat ou une chatte non stérilisés.

Étalon : mâle reproducteur.

Étranger : en anglais «foreign». Décrit un type de chat à l'ossature fine, longiligne, élégant.

Fawn : couleur de robe beige faon rosé obtenue par dilution de la couleur de base cannelle.

Flamme : marque le plus souvent blanche, située entre le front et le nez.

Fumé : effet sur une robe solide ou unicolore, au poil pigmenté sur sa plus grande longueur mais dont la base est blanche ou claire.

Gants : couleur d'un blanc immaculé des pattes antérieures d'un chat à robe colorée ou bicolore.

Garrot: point le plus haut du dos, situé entre les omoplates.

Gène dominant : gène porteur d'un caractère héréditaire déterminant toujours exprimé, responsable d'une ou plusieurs caractéristiques.

Gène modificateur : gène qui modifie l'action d'un autre gène.

Génotype : ensemble des gènes d'un individu appartenant à une espèce, une race ou une variété. Synonyme pool génétique.

Guêtres : coloration blanche de l'extrémité des pattes postérieures.

Impairs (yeux) : yeux de deux couleurs différentes.

Libre croisement : accouplement sans intervention ou sélection opérée par l'homme. Synonyme de sélection aléatoire.

Livre des origines : document permettant d'enregistrer la généalogie d'un chat de race.

Loof : Livre officiel des origines félines.

Lunettes : zone claire autour des yeux, plus étendue en partie inférieure de l'œil.

Lynx point : couleur d'une robe colourpoint où les points sont tabby et le corps plus clair.

Lynx tip : touffe de poils placés à la pointe des oreilles.

Manx : race de chat dépourvu de queue. Une caractéristique liée à une mutation génétique.

Maquillage : ensemble des dessins formés de traits ou rayures sombres s'étirant du coin externe de chaque œil. Par extension, les dessins formés par les marques tabby au niveau de la tête.

Marbré : motif ou patron tabby dans lequel le chat présente des dessins en anneaux concentriques, à cheval sur les flancs et le thorax, se détachant sur un fond plus clair.

Marquage urinaire : traces d'urine que le chat laisse pour marquer son territoire, signaler sa présence en période de chaleurs ou son stress. Parfois désigné sous le terme de marquage olfactif.

Marque du scarabée : dessin présent sur le front des chats tabby formant un « M » ou évoquant la silhouette d'un scarabée.

Marque fantôme : marque tabby visible sur la robe d'un chat à poil non-agouti ou sur la robe des chatons, s'estompant souvent avec l'âge.

Médaillon : petite tache de poil blanc sur la poitrine d'un chat à robe colorée, souvent considéré comme un défaut chez les chats de race.

Membrane nictitante : fine membrane blanche protectrice située au coin interne de chaque œil (également appelée troisième paupière) qui peut recouvrir l'œil en partie lorsque le chat est malade ou blessé.

Mink : couleur de robe intermédiaire entre le sépia et le point avec les extrémités foncées et le corps légèrement coloré. Synonyme de patron Tonkinois ou robe vison.

Mitaines, motif : caractéristique d'un chat essentiellement coloré qui porte une fourrure blanche limitée aux pieds, aux pattes postérieures, au ventre, au torse et au menton.

Mitted : motif d'une robe présentant des marques blanches au niveau des coussinets, du menton, de la poitrine, du ventre et des pattes postérieures.

Mutation : accident génétique ou modification soudaine d'un segment d'ADN.

Œstrus : période de rut correspondant à l'ovulation, durant laquelle la femelle est fécondable. Désigné par le terme « chaleur ».

Ombré : désigne une nuance de couleur de robe où l'extrémité du poil est pigmentée, le reste étant blanc ou pâle.

Oriental : type de chat à corps tubulaire longiligne, à longues pattes et à ossature fine.

Paton : lèvre supérieure, endroit où poussent les moustaches. Désigne la partie assez charnue du museau, de chaque côté du nez. Synonyme de pelote.

Patron : le terme renvoie à une répartition bien spécifique de la couleur sur le corps du chat. C'est un motif répondant à une description précise et non pas une couleur.

Pedigree : arbre généalogique et certificat délivré par un organisme disposant d'un livre des origines. Il atteste de la qualité de chat de race.

Pellicules : écailles de peau morte souvent responsables d'allergie aux chats chez l'homme.

Poil non-agouti : poil ne présentant pas d'alternance de couleur, formant les robes selfs ou solides ou les taches sombres des robes tabby.

Poils de barbe : variété de poil secondaire épaisse, plus longue que le sous-poil mais plus courte que le poil de garde.

Poils de garde : longs poils durs et épais protégeant le sous-poil et formant une couche imperméable en surface de la robe.

Points : extrémités du corps d'un chat correspondant au masque, aux oreilles, à la queue et aux pieds.

Polydactyle : mutation génétique entraînant l'apparition d'un doigt supplémentaire au niveau des pattes.

Polygénique : qui se rapporte à, ou dépend de plusieurs gènes.

Race : le terme de chat de race s'applique à un animal disposant d'un pedigree délivré par un livre des origines reconnu.

Rayures : marques tabby.

Récessif : désigne un gène qui ne s'exprime pas.

Reine : chatte ayant eu au moins une portée.

Rex : désigne une robe à poil doux ondulé, dépourvue de poils de garde. Une caractéristique résultant d'une mutation génétique.

Robe : pelage du chat définit par la couleur du poil, sa longueur et sa texture.

Romain : qualifie un nez légèrement arqué ou protubérant, avec des narines basses.

Rosettes : variante du motif tabby où les taches sont remplacées par des rosettes.

Seal : terme utilisé chez les chats colourpoint à la place de « noir ».

Sélection : mode de reproduction consistant à accoupler deux sujets sélectionnés pour leur génotype.

Self : couleur de robe unicolore ou solide, formée de poils non-agouti. Synonyme de solide ou unicolore.

Sépia : motif coloré dans lequel la couleur est intense au niveau de la tête, des pattes et de la queue, et plus claire mais néanmoins soutenue sur le reste du corps. Les yeux peuvent être de vert à or selon les races.

Sevrage : chez un chaton passage de l'alimentation lactée à l'alimentation solide.

Socialisation : processus au cours duquel le chaton s'habitue progressivement à la présence et au contact de l'homme et d'autres espèces animales.

Soies : poils secondaires doux et isolants.

Sous-poil : duvet laineux se trouvant sous les poils de garde.

Squame : lamelle épidermique qui se détache de la peau.

Standard : ensemble de règles définissant la morphologie et la couleur idéales d'une race.

Stérilisation : opération consistant à castrer un mâle ou à pratiquer l'ablation des ovaires chez la femelle.

Stop : cassure entre le nez et le front. Synonyme de break.

Tabby classique : robe présentant un motif essentiellement constitué de volutes et de taches mises en valeur par un dessin en œil-de-boeuf visible sur chaque flanc.

Tabby tigré : motif ou patron tabby dans lequel la robe présente de nombreuses rayures partant de la colonne vertébrale vers le dessous du corps, se détachant sur un fond plus clair.

Tachetage : présence de taches colorées aux contours bien définis, réparties de façon aléatoire sur la robe, comme chez les torties, les calicos et les arlequins.

Tipping : coloration plus ou moins étendue de l'extrémité du poil d'un chat à robe blanche.

Tiquetage : présence de trois ou quatre bandes colorées distinctes étagées sur un même poil.

Torbie : robe écaille de tortue avec marques tabby.

Tortie point : robe colourpoint présentant un motif écaille de tortue au niveau des points ou extrémités.

Van : robe bicolore dans laquelle la partie colorée est minoritaire par rapport à la partie blanche. La robe est blanche, à l'exception de petites taches colorées sur la tête et la queue.

Zibeline : couleur de robe d'un brun chaud, s'estompant en dégradé vers les flancs et le ventre.

ADRESSES UTILES

ASSOCIATIONS ET FÉDÉRATIONS FÉLINES

Association nationale féline et société centrale féline françaises
24, rue de Nantes – 75019 Paris.
Tél. 01 40 35 18 04 / 01 45 79 14 85
Fax : 01 40 34 36 20

Fédération internationale féline française (FIFE)
75, rue Claude-Decaen – 75012 Paris
Tél. 01 46 28 26 09 – Fax 01 43 42 43 09

Fédération internationale du chat
15, rue des Acacias – 91270 Vigneux
Tél. 01 69 03 51 98 / 01 69 24 42 35

Association nationale des Cercles félins de France
7 rue Chaptal – 75009 Paris
Tél. 01 48 78 43 54 – Fax 01 40 23 08 92

Association internationale féline (AIF),
38, avenue du Président-Wilson – 75116 Paris
Tél. 01 45 53 71 48 – Fax 01 47 04 59 20

Association régionale féline
10, rue de la Montagne – 91520 Egly
Tél. 01 64 90 91 83

Association Les chats de France
207, rue de la Ville de Paris – 95500 La Frette-sur-Seine
Tél. 01 39 78 53 95

Chats tatoués (fichier national félin)
Tél. 01 44 93 30 30

Fédération des Associations du Chat Citoyen
Fédération recensant les associations chats libres
98, rue de Leibnitz – 75018 Paris

L'École du Chat
Comité de Défense des Chats Libres
110, rue Championnet BP 184 – 75864 Paris cedex 18
Tél. 01 42 23 21 16

Société Centrale Féline de France
Organisme répertoriant les tatouages des chats
24, rue de Nantes – 75019 Paris
Tél. 01 40 35 18 04 – Fax 01 40 34 36 20

Fichier National Félin
Fichier répertoriant les tatouages des chats
112-114, avenue Gabriel Péri – 94246 L'Hay-les-Roses cedex
Tél. 01 55 01 08 08

CENTRES ANTIPOISON

Centre antipoison de Paris
Hôpital Fernand Widal
200, rue du Faubourg-Saint-Denis – 75475 Paris cedex 10
Tél. 01 40 05 48 48 – Fax 01 40 05 41 93

Centre antipoison de Rennes
Hôpital Pontchaillou
Rue Henri-Le-Guilloux – Pavillon Clémenceau – 35033 Rennes
Tél. 02 99 59 22 22 – Fax 02 99 28 42 30

Centre antipoison de Lille
CHR
5, avenue Oscar Lambret – 59037 Lille cedex
Tél. 08 25 81 28 22 – Fax 03 20 44 56 28

Centre antipoison Lyon
Tél. 05 78 87 10 40

CLUBS DE RACES

Club répertoriant les races de chats
75, rue Claude-Decaen – 75012 Paris
Tél. 01 46 28 26 09 – Fax 01 43 42 43 09

Cat Club de Paris et des Provinces Françaises
Fédération Féline Française
75, rue Claude-Decaen – 75012 Paris
Tél. 01 46 28 26 09

Club du Siamois et Oriental
Fédération Féline Française
23, avenue Charras – 63000 Clermont-Ferrand
Tél. 04 73 91 49 83

Club du Chat des Chartreux
Fédération Féline Française
66, rue de Ponthieu – 75008 Paris
Tél. 01 45 62 03 51

Club du Persan, Chinchilla, Silver Shaded et dérivés
Fédération Féline Française
12, rue Bildstein – 67500 Hagueneau
Tél. 03 88 93 50 41

Cercle du Persan Colourpoint
Fédération Féline Française
5, rue du Vallon – 51260 Marcilly
Tél. 03 26 81 41 55
Cercle du Chat Sacré de Birmanie

Fédération Féline Française
8, place du Marché à la Volaille – 28210 Nogent-le-Roi
Tél. 02 37 51 38 99 – Fax 02 37 51 39 14

Club du Chat des Forêts Norvégiennes
Fédération Féline Française
Château de Perrassier – 03310 Néris-les-Bains
Tél. 04 70 03 22 45

Chartreux Mon Ami
Fédération Féline Française
86, quai de la Loire – 75019 Paris
Tél. 01 42 00 26 99

Cercle des Amis des Chats Abyssins et Somalis
Fédération Féline Française
32, rue du Piré – 35000 Rennes
Tél. 02 99 41 81 66 – Fax 02 99 32 10 39

Singapura Partner's
Fédération Féline Française
233, route des Camoins – 13001 Marseille
Tél. 04 91 89 02 95

Le cercle du chat sacré de Birmanie
2 ter, chemin de la Belle-Aude – 38200 Vienne
Tél. 04 74 79 52 55

Ghilde pour la conservation des chats de races turques
Route de Saint-Christophe – 81170 Saint-Martin Laguépie
Tél. 05 63 30 29 19

AIME (Association internationale du mau égyptien)
118, rue de Gassicourt – 78200 Mantes-la-Jolie
Tél. 01 30 33 31 79

REFUGES

Les Amis des chats
Refuge animalier aidé par la Fondation *30 millions d'Amis*.
49, rue des Cévennes – 75015 Paris
Tél. 01 45 58 51 18

Société protectrice des animaux
38, boulevard Berthier – 75847 Paris cedex 17
Tél. 01 43 80 40 66

INDEX

Remerciements

L'éditeur adresse ses remerciements aux agences photographiques
Ardea.com, Animals Unlimited et NHPA
ainsi qu'à toutes les personnes citées ci-dessous qui l'ont autorisé
à reproduire leurs images dans cet ouvrage.

Ardea.com
Ardea London 10, 18,188 ; Yann Arthus-Bertrand 43 h, 90, 156, 174, 176 ; Brian Bevan 7, 200, 233 ; John Daniels : 1 ,4, 6, 8, 13, 14, 27, 28, 33, 39, 43 b, 44, 46, 47, 48, 49, 50, 52, 55, 56, 60, 62 h, 64, 66, 72, 74, 76, 80, 84, 92, 94, 100, 103 h & b, 118, 122, 128, 130, 132, 134, 138, 142, 144, 146, 148, 150, 172, 186, 192, 193, 194, 197, 198, 204, 205, 208, 211, 214, 215 ,216, 218, 220, 222, 223, 224, 228, 236, 240, 251 ; Clem Haanger 22 ; Jean Michel Labat 2, 30, 31,32, 34,35,36, 38, 39, 40, 54, 58, 62 b, 63, 68, 70,78, 86, 88, 96, 98,102, 104,106, 107, 108, 110, 112, 120, 124, 126, 140, 152, 160, 162, 170, 178, 191, 202, 209, 212, 221, 226, 230, 234, 239, 242,246 ; Tom & Pat Leeson 24 ; Johan de Meester 16, 154, 206 ; M. Watson 21

Animals Unlimited/Paddy Cutts :
82, 114, 116, 136, 158,164, 166, 167, 168

Yves Lanceau (NHPA) :
180, 182, 184

Merci à Sophie Napier et Angela Blackwood-Murray d'Ardea,
Tim Harris de NHPA et Paddy Cutts d'Animals Unlimited
pour leur contribution à l'élaboration de cet ouvrage.